Une pause à Tivaouane

Récit de voyage

Du même auteur:

«D'elles à eux»
Nouvelles
L'Harmattan 2000

Photo de couverture Denis Lenoble

Francy Brethenoux-Seguin

Une pause à Tivaouane

Récit de voyage

L'Harmattan

5-7, rue de l'École-Polytechnique
75005 Paris – France

L'Harmattan, Italia s.r.l.
Via Bava 37
10124 Torino

L'Harmattan Hongrie
Hargita u. 3
1026 Budapest

ISBN : 2-7475-3403-0

A Denis

Après avoir entendu, lors d'une conférence à Angoulême, les mots de Moussa Diop, éducateur de rue à Dakar, je pris la décision de partir pour partager et donner de mon temps à l'association dont il est responsable, Actions utiles pour l'enfance et la jeunesse (Aupej).

Son action est soutenue humainement et politiquement par l'école alternative Bonaventure en Charente-Maritime. Ces échanges nord-sud s'enrichissent depuis près d'une dizaine d'années.

Ce livre est le récit de mon quotidien au sein de la famille de Moussa qui m'a reçue à Tivaouane, ainsi que de mes rencontres avec les membres de l'association.

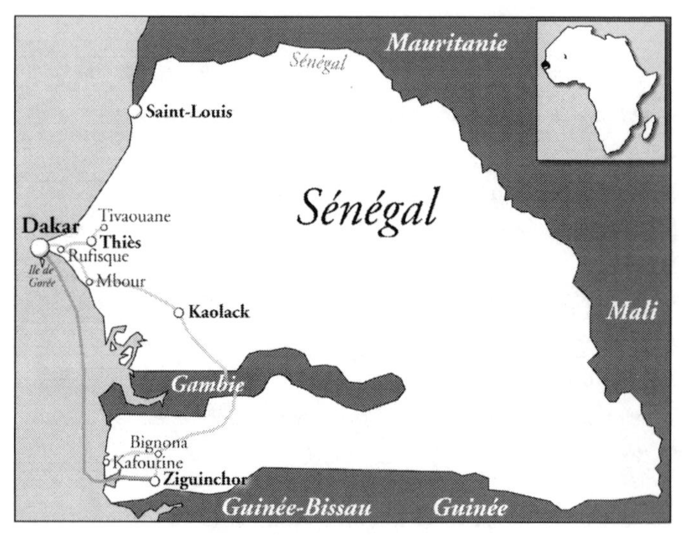

Carte du voyage au Sénégal

Moussa	chef de famille, responsable d'Aupej
Rokhaya	son épouse
El Hadji	leur fils aîné (quatre ans)
Niasse	leur fils cadet (deux ans)
Médina	leur fille adoptive (dix-huit ans)
Souleye dit Gilles	un des responsables d'Aupej, résidant chez Moussa
Astou et Amy	amies et voisines de Médina
Nabou et Soda	jeunes employées de maison, résidant chez Moussa
Kiné	employée de maison
Khady	jeune voisine (six ans)
Niaye	mon-ami-le-tailleur

Sommaire

Arrivée de nuit

Plus d'une heure que mes pieds butent contre le tapis roulant où circulent des dizaines de valises qui ne sont toujours pas les miennes. Je résiste contre les poussées de la foule agglutinée autour de ces bagages tournant indéfiniment. Foule qui oppresse, pèse et transpire d'impatience et de chaleur. Il fait près de trente degrés dans l'aéroport de Dakar à deux heures du matin. La chaleur de l'hivernage m'asphyxie déjà. La fatigue du voyage commence à se faire sentir. Je rêve de m'asseoir. Non. Je rêve de m'allonger et de dormir.

Près de moi, une jeune femme aux longs cheveux blonds s'impatiente en protestant contre la lenteur, le manque d'organisation, la chaleur... Réflexions qui alourdissent d'autant plus cette situation étouffante. La pression derrière mon dos se fait de plus en plus forte. Une main noire frôle imperceptiblement la chevelure blonde de ma voisine. D'un regard apparemment distrait, l'homme caresse ses boucles. Il touche l'inaccessible.

Je viens de saisir au vol mon troisième bagage. Il n'en reste qu'un : le grand carton qui contient l'exposition que je dois remettre à Moussa.

Moussa... Où est-il ? Nous devions nous retrouver à l'aéroport. Je ne sais pas si je pourrai le reconnaître. Je ne l'ai vu qu'une fois, dix mois auparavant, lors de la conférence où il avait parlé de son métier, éducateur de rue à Dakar, et de l'association destinée à aider les jeunes de son village.

C'est cette soirée-là que j'avais décidé de partir au Sénégal. J'étais revenue, quelques mois plus tôt, de Nouvelle-Calédonie où j'avais enseigné deux ans en brousse. Les inoubliables empreintes de cette expérience étaient encore présentes à mon esprit pour qu'elles ne trouvent pas une résonance immédiate aux mots de Moussa. Cette fois, je partirai seule.

Je n'aperçois toujours pas Moussa.

Je me déplace maladroitement avec mes quarante kilos de bagage qui se balancent autour de moi : une valise dans chaque main, un sac à dos sur la poitrine, un autre sur les épaules, et l'exposition pendue sur le côté droit. Je cherche du regard une silhouette qui pourrait m'être familière. Mais comment retrouver Moussa lorsque chaque visage sénégalais me rappelle précisément le sien que je crois reconnaître à tout instant ? Cette étrange ressemblance ne vient-elle pas de mon regard culturellement habitué à ne croiser que ceux de mon entourage ? Je me souviens de la réflexion d'une amie kanak : « Vous, les Blancs, vous vous ressemblez tous! »

Pas question de laisser place aux inquiétudes. J'ai besoin de toute mon énergie pour porter mes bagages, chercher la sortie et trouver Moussa. S'il n'est pas là, je dormirai à l'aéroport. Censure aux angoisses jusqu'à demain.

A quelques mètres devant moi, je découvre dans cette foule incroyablement dense un écriteau sur lequel est inscrit mon nom. Aussitôt mes petites peurs prennent congé. J'embrasse chaleureusement le visage noir. Je le reconnais à peine :

« Je suis si contente de te voir.

– C'est bien que tu sois arrivée. Donne-moi tes valises, je vais t'aider. »

Je n'hésite pas une seconde à alléger mon corps moite et fatigué. Soulagée, je lui tends une valise.

Un jeune homme se joint à nous. Ils parlent wolof. Je ne comprends pas les mots, mais saisis l'intention. Il se joue quelque chose de trouble. Nous arrivons à la douane. Ils échangent à nouveau des mots rapidement et s'adressent à moi :

« Donne cent francs. Vite.

– Cent francs ? Mais pour quoi faire ?

– Donne, vite. »

Il y a urgence, je le sens. Mais pourquoi ?

Je tends le billet de cent francs avec un petit doute au fond de la paume. Le douanier m'arrête et me demande d'ouvrir mes valises :

« Que transportez-vous de si lourd ? »

J'étale devant son regard étonné cahiers, trousses, craies et stylos. Ses yeux deviennent complaisants :

« Et vous allez où avec tout ça ?

– A Tivaouane.

– Pour quoi faire ?

– Je viens pour l'association Aupej, Actions utiles pour l'enfance et la jeunesse. »

Le nom de l'association a au moins l'avantage d'être clair. Je n'ai pas besoin de lui fournir d'explications supplémentaires.

Il m'aide à refermer les valises et me souhaite un bon séjour en souriant.

À la sortie de l'aéroport, l'air est un peu moins oppressant. L'humidité chaude me remémore celle de la Calédonie. Depuis quelques pas je me sens suivie. Cette présence inquiétante se rapproche de plus en plus. Je serre les mâchoires.

« Francy ?

– Oui...

– Comment vas-tu ? Ton voyage s'est bien passé ? Tu n'es pas trop fatiguée ?

– Moussa... »

Je n'ose pas lui avouer ma méprise.

« Viens, nous allons prendre un taxi. »

Avant de monter, Moussa donne de l'argent aux deux hommes qui m'avaient escortée. Il m'explique :

« Il est tellement difficile de trouver quelqu'un dans cette foule que je leur ai demandé de te repérer avec cette petite pancarte. »

Une fois dans le taxi, je lui confie que je les avais déjà payés.

« Tu aurais dû me le dire. Combien ont-ils demandé ?

– Cent francs.

– Cent francs! C'est beaucoup trop. »

Je ne sais pas encore qu'avec cent cinquante francs par mois, beaucoup de Sénégalais font face à l'indispensable. Tant mieux pour eux, me dis-je.

Un taxi nous attend.

« Nous allons directement à Tivaouane, m'explique Moussa. Ce n'est pas la peine de passer la nuit à Dakar. »

Durant les premiers kilomètres nous échangeons quelques phrases, celles qui permettent de s'apprivoiser, de rendre vivants par la voix les mots écrits via internet.

Du Sénégal je ne vois rien, si ce ne sont les lumières jaunes des rares voitures qui nous croisent.

« Tu peux te reposer si tu veux. Nous sommes à deux heures de route du village. »

Je ne me fais pas prier. Je m'allonge sur la banquette arrière et m'endors dans l'instant.

Le ralentissement puis l'arrêt de la voiture me ramènent à la réalité de la nuit tropicale. Les phares blondissent la façade de la maison de Moussa. Nous descendons les bagages. Le taxi s'éloigne dans la poussière de sable. Le jour est sur le point de se lever. Il est quatre heures du matin.

Moussa frappe à toutes les portes de la maison. Des têtes endormies, quittant le sommeil profond de cette nuit finissante, me souhaitent la bienvenue. Je suis gênée qu'il les ait tous réveillés pour m'accueillir. Malgré l'engourdissement des corps et des esprits, ils me sourient et me proposent de me servir à manger. Gênée, je décline cette offre inattendue, puis les remercie, touchée par cet accueil nocturne.

Moussa me montre la chambre que je partagerai avec Médina, la fille aînée de la maison. Il y règne une chaleur suffocante. La chambre est vide. Seul un matelas en mousse est posé sur le sol recouvert d'un linoléum. L'adolescente et moi nous allongeons sur le lit, tête-bêche. Je manque de courage pour installer la moustiquaire. Malgré la fatigue, la chaleur m'empêche de plonger rapidement dans un sommeil profond. Je somnole, allongée sur le dos. C'est alors que je sens de minuscules pattes s'égarer autour de mes chevilles. Je m'assois, un peu affolée et demande à voix haute :

« Qu'est-ce-que c'est ? »

Médina m'entend à peine, se retourne et se rendort aussitôt. J'ai le temps d'apercevoir l'explication de ce réveil impromptu : la balade crépusculaire d'une souris grise.

Demain je n'oublierai pas la moustiquaire!

Le jour se lève

La terre résonne de grands coups sourds qu'elle reçoit par saccades régulières. Que se passe-t-il ?

J'ouvre les yeux. Je suis seule dans le lit. Je n'ai pas entendu Médina se lever. La lumière, malgré l'étroite ouverture de la fenêtre, s'entête à s'infiltrer. Une curiosité mêlée d'appréhension me fait quitter la chambre.

Le spectacle qui m'attend frappe mon regard et fige mon corps. L'Afrique noire est là. Mes yeux zooment sur le moindre détail. Tout m'invite à la pause. Le jour m'offre sans restriction ce que la nuit m'avait caché : visages, corps, arbres, couleurs.

La maison donne sur une grande cour de sable, entourée d'autres habitations. Sous la fraîcheur d'un eucalyptus, les gestes d'une femme et d'une fillette m'éclairent sur les vibrations étranges qui dérangent la terre : à tour de rôle, elles pilent, dans un mortier de bois, le mil qui sera servi au prochain repas. Leur énergie défie chaleur et fatigue. Elles lancent le pilon avec une telle détermination que le sol en frémit. À intervalles réguliers, elles le projettent plus haut. Avant qu'il retombe, elles frappent dans leurs mains et leurs hanches basculent rapidement. Pour alléger le rythme de leur besogne, elles y ajoutent le plaisir de la danse. Les couleurs éclatantes de leurs boubous s'impriment dans la lumière aveuglante de cette fin de matinée.

A l'ombre d'un acajou, je découvre Moussa et ses deux fils assis sur une longue natte. El Hadji, âgé de quatre ans, ne le quitte ni des yeux ni du corps. Moussa parle à sa femme. Médina, l'aînée, l'écoute avec un intérêt évident. Toutes deux sont très attentives. Elles font provision de cette présence qu'elles savent de passage. Ils ne se voient que le week-end. Je m'installe près d'eux, encore sous l'étonnement de cette première image : ce quartier africain, où je vais partager projets, rêves, quotidien, rires et amertumes.

« Tu as bien dormi ? » me demande Moussa.

J'acquiesce et garde pour moi la visite impolie du minuscule rongeur au petit matin.

Rokhaya appelle Soda en wolof, une enfant d'à peine dix ans. Elle lui donne ses instructions. Je la suis et observe le moindre de ses gestes. Dans l'arrière-cour, se trouve un cagibi qui sert à la fois de cabinets à la turque et de douche. Après avoir aspergé l'endroit où je vais me laver, elle me tend le seau d'eau et la boîte de conserve, pomme de douche portable. Je me déshabille dans cet endroit exigu en évitant la maladresse impardonnable : faire tomber ma savonnette dans le trou. J'essaie de faire abstraction de l'odeur désagréable et ne pense qu'au plaisir de me rafraîchir le corps.

Je rejoins Moussa et m'installe sur la natte. A peine avons-nous échangé quelques mots que Soda nous apporte fièrement un grand plat où a été posé avec soin un poisson grillé, présenté sur du riz, entouré de légumes. La petite fille s'assoit un peu à l'écart et me regarde de ses grands yeux curieux. Nous mangeons directement dans le plat. Rokhaya de ses longs doigts effilés nous prépare le mérou. D'un geste précis, elle lance dans ma direction les filets du poisson délicieusement cuisiné.

Attentive aux nouvelles saveurs que mon palais découvre, je ne remarque pas tout de suite que les meilleurs morceaux arrivent, systématiquement, de mon côté. Je n'ose rien dire et suis touchée de ce geste discret. Le dessert est caché sous un linge pour éviter que les dizaines de mouches, attirées par l'odeur, se régalent avant nous. Moussa me tend l'assiette, je découvre les mangues coupées en carrés sur la peau du fruit juteux, comme j'avais appris à le préparer en Nouvelle-Calédonie. Moussa mange très peu et ne cesse de m'inviter à me resservir de ce fruit décidément trop bon. Je tends l'assiette pour en proposer autour de nous.

« Mange, me dit-il. C'est pour toi, ils ont déjà eu leur part. »

Ce n'est qu'au troisième jour que je comprends que ce fruit, poussant pourtant à quelques kilomètres d'ici, reste cher. On ne peut pas en acheter tous les jours. Mais ce qu'on vous donne est offert avec tant de générosité que vous êtes persuadé que l'essentiel est là, en quantité suffisante. Impression trompeuse. Il y a peu, et ce que je prenais pour l'ordinaire est exceptionnel.

Assise sur un minuscule banc en bois, une jeune femme tresse avec lenteur et précision les cheveux de Rokhaya. C'est sa sœur. Elle est venue de Saint-Louis, avec son fils, passer deux semaines à Tivaouane.

L'après-midi se passe ainsi, lentement. La chaleur réduit gestes et activités au minimum. Médina s'occupe de la préparation du thé. Elle va chercher une bouteille de gaz – cuisinière ambulante – sur laquelle elle installe une casserole. Les femmes rient et parlent entre elles dans leur langue. Je les observe discrètement. Pour l'instant, la communication ne passe que par les sourires.

Moussa m'entretient de l'organisation de mon emploi du temps des prochains jours.

« Demain, tu te reposes, me dit-il. Tu commenceras les cours à l'école mardi. Je repars à Dakar demain pour la semaine et je reviendrai samedi. »

Tous les soirs, il me téléphonera pour prendre de mes nouvelles.

Le lendemain matin, Médina et moi partons à Thiés pour aller retirer de l'argent. Il n'y a pas de banque à Tivaouane : la richesse de ses quarante mille habitants n'en nécessite aucune. Nous marchons dans les ruelles où nos pieds ne cessent de s'enfoncer. Ici, la terre c'est le sable. Nous sommes à la frontière méridionale du Sahara, aux portes du Sahel.

Nous allons jusqu'au centre du village à pied pour prendre une calèche. Elle est tirée par un cheval de la taille d'un poney, et assure pour un, deux ou trois francs des courses de quelques kilomètres. Nous montons à bord. Le tintement du grelot accroché au harnais prévient le piéton distrait et l'invite, promptement, à s'écarter sur le bas-côté. Le conducteur à coups de fouet, trop rapprochés à mon goût, encourage ce minuscule cheval à trottiner rapidement. On voit les os saillir de chaque côté de sa croupe. Sa taille a diminué au fil des ans et des privations.

Mon regard quitte notre courageuse petite monture. Sa pauvreté fait écho à celle des villageois qui marchent le long des maisons, ou qui discutent à l'entrée des échoppes. Les habitations aux façades délavées et déchirées ajoutent à cette impression de dénuement.

Nous arrivons à la gare routière, où des dizaines de « sept-places » attendent patiemment d'être remplis. Les vieilles Peugeot 404 break ne partent que lorsque les sept clients occupent leur place. Nous nous asseyons sur la banquette arrière. Dans l'instant, des enfants mendiants, encouragés par l'école coranique, se collent contre les portières de la voiture et tendent leur boîte de conserve en murmurant des prières.

De l'âge de trois à six ans, nombre d'entre eux sont envoyés dans ces écoles par leurs parents qui souvent n'ont pas les moyens de les élever. Là, ils apprennent par cœur le Coran en arabe. Sept heures par jour, ils mémorisent et récitent leurs prières. Un petit réfugie sa misère enfantine dans sa supplique et cogne sa boîte métallique contre la portière. Ma main lui tend une pièce. Mes yeux n'osent pas affronter son regard.

Le taxi collectif se met en route pour Thiés, petite ville située à vingt kilomètres de Tivaouane. Le long de la route, j'aperçois quelques rares paysans. Jeunes pour la plupart, ils conduisent des attelages tirés par des chevaux squelettiques. Le soc de leurs charrues tracent les sillons qui recevront les graines de la prochaine récolte de mil, de maïs ou de haricots. Le paysage est désertique. Seuls quelques baobabs solitaires s'opposent majestueusement à l'emprise redoutable du désert.

Nous arrivons à Thiés. Par le nombre impressionnant de mosquées, je comprends rapidement qu'il s'agit d'un centre religieux important. Bien que la vie y soit plus mouvementée, cette ville partage avec Tivaouane le même état de vétusté. La ville bruyante tend ses quartiers sur la terre molle de latérite poudreuse. La cacophonie citadine, les magasins et les voitures donnent, au tout début, l'illusion d'une multitude d'activités, de petites richesses. Très vite, l'œil remarque les détails qui ramènent à la réalité d'une vie où la pauvreté côtoie le dénuement : enfants mendiants, toits de tôle ondulée brisés, trottoirs défoncés, maisons aux murs écroulés...

Près de la gare, où deux trains quotidiens relient Dakar à Saint-Louis, Médina me montre du doigt la banque où je pourrai échanger mon argent. C'est une heure et demie plus tard que nous en sortons.

La lenteur africaine a cela de bon : elle vous donne du temps. Le temps d'installer en vous une conscience vaste et alerte.

D'observer...

Une autre école

Une vingtaine d'élèves de troisième de l'école alternative, l'Acapes (Association communautaire d'appui à la promotion éducative et sociale), rentrent par petits groupes dans la classe. Ils s'installent aux pupitres que l'on réserve habituellement aux écoliers de l'école primaire. Je les regarde, étonnée de les voir s'asseoir à trois par table. La plupart dépasse facilement un mètre soixante-dix. Le manque de confort n'est pas leur préoccupation immédiate. Ils sont là pour apprendre. Ici, l'instruction est un privilège, puisque soixante-quinze pour cent de leurs frères et sœurs sont analphabètes.

Le proviseur-professeur-secrétaire a déjà informé les élèves de ma venue. Ils savent que je les aiderai à faire des révisions pour le BFEM (équivalent du Brevet). D'Angoulême, j'avais préparé quelques cours, ne sachant pas exactement quel niveau serait exigé en français. Je comprends vite que c'est le même qu'en France. Pour eux, c'est une seconde langue et leur difficulté à l'aborder me rappelle celle des jeunes Kanaks en Nouvelle-Calédonie.

Mes deux ans d'enseignement dans ce pays, ma formation « français langue étrangère », m'ont appris à m'accorder au rythme différent des élèves, à être attentive à leur culture pour comprendre leurs interrogations et leur difficultés à analyser des pensées dans une langue qui n'est pas la leur. A cette complexité, s'ajoutait le poids des revendications de certains aînés pour une indépendance légitime de leur île.

Au Sénégal, le contexte politique est différent, puisqu'il est indépendant depuis 1960. Je suis, malgré tout, surprise de voir l'attachement que ce peuple a gardé pour la langue de l'ancien colon. Il est plus facile de s'approprier une langue quand elle passe par les mots de Mariama Ba ou d'Aminata Sow Fall. Elles écrivent pour combler des siècles de silence sur les conditions de la femme sénégalaise et se confronter à certaines traditions africaines.

Je note sur le tableau les phrases à analyser. Fait de plâtre, il est incrusté à même le mur. La peinture verte qui l'habille est si écaillée par endroits qu'il m'est difficile d'écrire des phrases entières. De longs espaces s'étirent entre les mots. Le regard des élèves, au fil du temps, s'est habitué à ce qui serait considéré comme insupportable dans notre pays. Ils ignorent la médiocrité des moyens pour se concentrer sur l'essentiel : le savoir.

Il est onze heures. Le sol en ciment a gardé généreusement la chaleur envoyée par le toit de tôle ondulée depuis ce matin. Dans cette fournaise, les esprits commencent à s'endormir, les gestes à ralentir. C'est l'heure de la pause. Nous sortons dans la petite cour, à l'ombre d'un manguier rabougri. J'en profite pour poser quelques questions aux élèves. Je leur demande leur âge : dix-sept, dix-huit, dix-neuf ans.

« Nous sommes obligés de tricher sur notre âge quand nous remplissons les feuilles pour passer l'examen, sinon notre inscription serait refusée », me dit Médina.

Je leur demande de m'expliquer le fonctionnement de leur école. Astou prend la parole :

« L'Acapes s'occupe des enfants en échec scolaire et en rupture avec l'école publique ou privée. C'est grâce à Moussa que l'association a pu ouvrir en octobre 1997. Cette année il y a cinq classes.

– Combien êtes-vous exactement ?

– Près de cent et nous n'avons que trois classes, sans électricité, et quand il pleut on ne peut pas avoir cours : les salles sont inondées!

– A la rentrée, reprend Médina, nous espérons que de nouvelles classes seront aménagées, à moins qu'on arrive à avoir un local plus grand. »

C'est avec une fierté évidente qu'ils me parlent de leur école.

Ils sont venus ici parce qu'ils ont été renvoyés de l'école publique qui reste trop chère pour la plupart d'entre eux.

Je leur demande pourquoi ils semblent si attachés à cette école. Ils sourient tous avant que Moustapha prenne la parole :

« Pour nous c'est une école sociale, l'école de la liberté. Bien sûr, il y a des règles strictes qu'il faut respecter. En plus, dans cette école les profs sont différents. Ils nous encouragent et ne font pas de distinction entre les bons et les mauvais élèves.

– Il ne faut pas oublier la co-gestion, ajoute Médina. Tout le monde participe à l'évolution et à l'organisation de l'école : le proviseur, les professeurs, les parents et nous.

– De quelle façon ?

– Quand un prof est absent, les élèves responsables prennent le cours en charge. C'est grâce à l'entraide qu'on y arrive. Mais l'entraide ne marche pas seulement sur le plan scolaire, sur le plan financier aussi. Par exemple, les élèves organisent des fêtes, des quêtes pour récupérer de l'argent afin d'acheter des craies, des cahiers et des stylos. Cette année, on a organisé un concert au stade de Tivaouane parce qu'on manquait d'argent. On recommencera l'année prochaine.

– Oui, reprend Moustapha. Mais cette fois, on espère que le maire ne nous fera pas payer la location du stade! »

La pause se termine sur un éclat de rire. Nous entrons dans la classe pour continuer les révisions.

Nous passons à une autre matière. Pour l'anglais, le niveau exigé est nettement supérieur à celui demandé aux collégiens français. Ici, le brevet a une valeur évidente.

C'est le deuxième passeport vers l'éducation après l'examen de passage en sixième. Seulement vingt pour cent des jeunes Sénégalais réussissent. Dans certaines classes primaires, il n'est pas rare que l'instituteur doive enseigner à soixante-dix enfants en même temps...

Je jette un coup d'œil sur les écrits des élèves, je me rends compte que le moindre espace blanc sur la feuille est utilisé : ils écrivent dans la marge. Pas question de gaspiller un centimètre de papier sur le cahier. L'incertitude de pouvoir s'en procurer un autre rend économe.

A la fin de cette première matinée de cours, je rejoins le proviseur dans le minuscule local qui lui sert de bureau. Il travaille à l'Acapes depuis l'ouverture de l'école. Il enseigne ici par « humanité », me dit-il. Les enseignants expérimentent des méthodes différentes de l'enseignement traditionnel. Ils sont bénévoles et viennent de Thiés ou du lycée d'à côté.

« L'an passé sur les huit élèves présentés au BFEM, quatre ont été reçus. Pour le bac, c'est beaucoup plus difficile : il n'y a eu qu'un seul reçu sur huit. Mais nous ne nous décourageons pas. Sans notre école, ces élèves n'auraient jamais passé ces examens, puisqu'ils avaient tous arrêté. Alors, je considère que c'est un succès! Il nous faudra encore beaucoup de patience. »

Il a raison, c'est un succès si l'on regarde les conditions dans lesquelles ils travaillent. Il a raison, c'est en patience que se conçoit le changement d'un pays.

Instants de femmes

Après les cours, Médina, Astou et moi rentrons à la maison avec la nonchalance que nous impose la chaleur tropicale, la paresse que nous accorde le temps africain. Des chèvres chétives arrachent de leur langue râpeuse les rares feuilles vertes de modestes buissons. Des jeunes enfants remplissent de rires, de pleurs et de jeux les ruelles de sable. Peu habitués à côtoyer une blanche, ils s'immobilisent, intrigués par ma présence. Certains, timides, d'autres, espiègles, m'approchent en riant :

« Toubab! Toubab! »

Hier, Moussa m'a précisé que le mot « toubab », qui désigne les blancs, n'était pas péjoratif. Cela m'arrange de le croire, mais je suppose qu'il n'en a pas été toujours ainsi. Quarante années d'indépendance atténuent certainement les blessures de la colonisation, mais les effacent-elles ?

Un petit garçon plus osé que ses copains tend sa main jusqu'à me toucher. Je le regarde en souriant et le salue :

« Salam aleikhoum. »

Il éclate de rire et rejoint ses amis en courant. Quelques mètres plus loin, un autre groupe de très jeunes enfants m'interpelle à son tour :

« Toubab! Toubab! »

C'est ainsi tout le long du chemin. Des enfants, des enfants, des enfants.

Nous arrivons à la maison. El Hadji abandonne sa partie de foot avec son ballon crevé et court à notre rencontre. Il me saisit la main fermement et passe près de ses compagnons de jeu en les toisant fièrement :

« C'est chez moi que dort la toubab », leur lance-t-il.

Assise sur l'avancée en pierre qui sert de banc, Kiné repasse en plein soleil devant la maison. Elle attise d'un souffle discret les braises orangées qu'emprisonne son lourd fer gris, puis lisse le linge avec indolence. Elle est âgée d'une quinzaine d'années. Elle sert d'employée de maison, comme beaucoup d'adolescentes. Très peu payée, Kiné préfère travailler ici, plutôt que de faire la même chose gratuitement, chez elle.

Moussa m'a parlé de « ses sœurs », à Dakar, les bonnes comme elles sont appelées. Elles portent le double poids du travail et des humiliations. Alors pour redonner à leur métier un semblant de dignité et de reconnaissance, près de mille d'entre elles se sont regroupées en « chambre de rattachement ». Quand brimades, affronts, reproches et épuisement deviennent insupportables, elles se retrouvent dans leurs « chambres d'écoute ». Ces lieux intimes se remplissent de mots, de pleurs et de colères, puis font place à la réflexion, à la recherche d'une solution probable.

La journée de Kiné commence au petit jour. Elle s'active autour de la maison, silencieusement. Elle vaque à ses occupations et veille à respecter le sommeil des enfants, à prolonger la somnolence des aînés. Lessive, repassage, ménage, cuisine restent ses seules espérances : elle sait qu'elle n'ira jamais à l'école, c'est trop tard.

A la fin de chaque repas, je félicite Rokhaya, persuadée que c'est elle qui le prépare. Elle me remercie chaleureusement, puis m'avoue que c'est Kiné qui cuisine. Le déjeuner terminé, je me dirige vers l'arrière-cour de la maison en répétant les mots que Médina vient de m'apprendre pour féliciter la cuisinière :

« Diène, bakh na. Diera dieuf! »

Kiné m'écoute, surprise par mon désir de lui parler, amusée par mon accent. Elle reste muette, intimidée. Le sourire qui lui échappe, la brillance de son regard suffisent à trahir l'essentiel de notre échange silencieux.

À peine âgées d'une dizaine d'années, Nabou et Soda la secondent efficacement dans ses tâches ménagères. Elles obéissent aux ordres des aînées sans témoigner le moindre agacement et encore moins une quelconque rébellion. Lorsqu'on les appelle, leur prénom n'est jamais prononcé plus de deux fois.

Rokhaya demande à l'une d'elles de venir changer Niasse. Dans la minute qui suit, Nabou suivie de Soda lave dans le seau le petit corps souillé par la diarrhée. Niasse est le plus jeune des deux garçons de Moussa et de Rokhaya. Il n'ose pas trop s'approcher de moi. C'est la première fois qu'il voit une blanche. Pour l'instant, il m'observe de loin. Je lui réponds en souriant et cligne des yeux pour le faire rire.

Après les cours, Astou et Amy nous rejoignent dans la chambre que nous partageons avec Médina. Nous discutons comme si nous nous connaissions depuis longtemps. Je partage leur angoisse, compréhensible, de veilles d'examens. Nous bavardons, curieuses et généreuses. Curieuses de nos différences, généreuses en sourires. Amy prend la parole et me demande ce que je pense de l'excision.

Je ne m'attendais pas à une question aussi directe, pensant que ce sujet devait être abordé avec discrétion et pudeur. L'étonnement passé je lui réponds que je sais que pour certains Africains, surtout parmi les plus anciens, cette coutume devrait être maintenue.

« Pourquoi d'après toi ?

– Beaucoup pensent que toute tradition est bonne à garder quand elle appartient à une culture depuis des siècles. S'en débarrasser pourrait remettre en cause des habitudes, des croyances. Et pour eux, il n'en est pas question puisqu'ils pensent que l'excision est l'assurance d'avoir une femme vierge le jour de son mariage. »

Astou prend la parole avec l'énergie de la future femme qui trouve inacceptable cette mutilation :

« Moi, j'ai déjà discuté avec des femmes qui se sont fait exciser. Elles ont terriblement souffert. En plus, elles disent qu'elles n'arrivent pas à avoir de plaisir avec leur mari.

– Pire, ajoute Médina, après l'excision ma cousine m'a dit que son sexe n'est plus qu'une cicatrice douloureuse à chaque rapport. Toutes les fois que son mari lui demande de faire l'amour, elle n'a qu'une envie, c'est de partir en courant. Elle n'ose pas lui dire comme elle souffre. Elle a honte. »

Amy prend la parole, émue :

« Deux filles de mon village sont mortes après l'opération. L'une d'elles était ma meilleure amie. »

Des chiffres lus récemment dans un journal me reviennent alors à l'esprit : aujourd'hui en Afrique, près de deux millions de fillettes subissent des excisions ou infibulations. Dans onze États, plus de la moitié des femmes passent par ces mutilations.

« Avec la loi passée dans notre pays, en 1999, ça devrait changer. D'ailleurs, il y a un mois, une exciseuse a été condamnée à trois ans de prison.

– Faut pas rêver, reprend Médina. Ce n'est pas parce qu'il y a une loi que cette coutume va disparaître du jour au lendemain! »

La chaleur engourdit nos mots et nos corps.

La discussion s'apaise. Une coupure d'électricité immobilise le seul ventilateur de la maison. Nous tombons mollement dans la douce torpeur de la sieste. De temps en temps, à tour de rôle, l'une des filles, à moitié endormie, saisit l'éventail et l'agite au-dessus de nous.

Impensable de garder pour soi la brise rafraîchissante sans en faire profiter les trois autres.

Je retiens la leçon.

Khady et sa grand-mère

Dès les premiers jours, j'avais remarqué la longue file de femmes qui attendaient leur tour devant la fontaine pour remplir seaux ou bassines. À quelques mètres de la maison, de l'autre côté de la ruelle, une vieille femme du quartier, Bineta distribue l'eau à ses sœurs. Elles arrivent seules ou par petits groupes, dès le matin. En fait, elles se succéderont tout au long de la journée.

L'habileté élégante et l'harmonie naturelle de leurs corps, qui font s'élever de la terre à la tête les bassines de vingt-cinq litres, m'éblouissent. La corvée d'eau a cela d'agréable : elle favorise la rencontre. C'est l'occasion quotidienne, pour les jeunes filles et les jeunes femmes de se retrouver, de se raconter. Rite social depuis des décennies, la fontaine publique a été privatisée il y a quelques années, tout comme l'électricité, le téléphone et les transports. Ainsi Bineta loue-t-elle sa concession à la Société des Eaux. Pour un centime le litre, elle revend l'eau précieuse dont le prix ne cesse d'augmenter tous les ans.

La cahute fragile de Bineta est faite, comme celles des autres marchandes du village, de branches et de feuilles grossièrement assemblées. À l'intérieur, une natte sur le sable. Accrochés aux frêles poteaux de bois tordus, des sacs plastique se balancent, des boîtes de conserve tintinnabulent.

Juste en face se trouve un autre abri identique, reflet misérable de celui de Bineta. Il appartient à la grand-mère de Khady, notre voisine.

Khady... La première fois que j'ai vu cette enfant de six ans, j'ai été immédiatement fascinée. Avant chaque départ, le voyageur est parfois involontairement amené à imaginer des visages, à garder le souvenir d'une photo croisée dans un guide ou un magazine. L'image idéale qui, à elle seule, traduit l'histoire de tout un peuple. En rencontrant Khady, je l'ai reconnue.

Elle a été choisie parmi ses frères et sœurs pour vivre avec sa grand-mère, Amy Guèye. Comme beaucoup de femmes du Tiers Monde, elle survit en vendant en quantité infime ses maigres marchandises : charbon de bois, cacahuètes, lait en poudre, thé, sucre et piments. Les aliments sont vendus dans des sachets empilés les uns sur les autres. Leur quantité fait illusion : ils embellissent la modestie de l'étalage. Les plus petits sont en vente à vingt centimes, les autres sont remplis de telle façon que leur prix revient régulièrement à un franc. Plusieurs fois dans la journée, Nabou et Soda vont acheter du sucre, du lait ou des arachides à la demande de Rokhaya. L'achat en faible quantité permet aux familles d'acheter quotidiennement ce qu'elles ne pourraient pas s'offrir en abondance. L'économie de survie...

Dès le matin, Khady s'active autour de la cahute de sa grand-mère. Elle prépare le feu pour le charbon de bois, remplit de ses doigts fins et expérimentés les petits sacs. Les premiers temps, je me contentais de l'observer. Je la regardais discrètement. Elle me souriait timidement. Au fil des jours, nos regards se sont familiarisés. Grâce à Nabou et Soda, qui décidément ne se quittent jamais, nous avons pu échanger nos sourires de plus près. Contrairement à ses jeunes voisines, Khady ne parle pas le français. Elle ne va pas à l'école. Alors je lui répète les quelques phrases en wolof que je connais :

« Dafa tangué. (Il fait chaud).

- Dafa tangué, répète-t-elle en s'essuyant le front. Puis en mimant un grelottement elle ajoute :

- Dafa sédé. (Il fait froid). »

Nous passons ainsi plusieurs fois du chaud au froid en quelques secondes. Secondes précieuses qui scellent l'apprivoisement de cette enfant farouche.

C'est par les mains que nous communiquons le plus facilement. Nous tapons dans nos mains après avoir appris des figures bien précises, puis nous augmentons le rythme des claquements de nos paumes. Le bruit répété et cadencé de notre jeu attire d'autres enfants. Ils sont dix maintenant à attendre leur tour pour se livrer à ce divertissement jusqu'alors inconnu. Ici, tout intéresse.

De l'autre bout de la cour, Amy Guèye appelle Khady. Celle-ci nous quitte sans sourciller et se dirige vers sa grand-mère en sautillant. Malgré la chaleur, la petite est toujours en mouvement : elle court, saute, danse. Plusieurs fois Nabou et Soda lui ont demandé de danser devant moi. Tout à l'heure, elle a franchi le pas : impressionnant de voir ce petit corps frêle s'animer avec autant de grâce et d'aisance.

Khady et sa grand-mère habitent la maison face à la nôtre, maison est un grand mot pour cette unique pièce de quelques mètres carrés. Elles ne se quittent ni le jour, ni la nuit : elles dorment dans le même lit. Le soir, la grand-mère épuisée par la vie et la chaleur s'allonge devant la maison sur une natte. Khady tourne autour d'elle en chantant, toujours en sautillant. Elle nous observe et attend que nous ayons fini de manger pour se joindre à nous.

Assis sous la véranda, nous sommes dix ce soir à partager le thiébou djien que Médina vient de nous apporter. En tailleur, autour du grand plat, nous mangeons avec appétit le riz et le poisson. Je suis une des rares à me servir d'une cuillère. Malgré les encouragements de Rokhaya, je n'arrive toujours pas à manger avec les doigts. Je l'observe saisir une poignée de riz qu'elle malaxe dans une main avec un morceau de légume. Elle la presse fortement, comme pour en extraire le jus et la porte à sa bouche. Un coup de langue remonte le long de sa main et la bouchée minutieusement préparée est happée.

Comme à l'habitude, elle lance, d'un geste gracile, les meilleurs morceaux de mon côté. Je la remercie et discrètement, au détour d'une conversation, les passe à mes voisins. Près d'elle, il y a toujours une casserole où sont mis les restes du poisson. Les femmes se les partagent en suçant les arrêtes et feignent de s'en régaler. Si le riz est offert en grande quantité, les légumes et le poisson sont répartis avec parcimonie. Éparpillés, ils donnent une impression de quantité qui n'est qu'illusoire. Pourtant je suis à peu près certaine que mes hôtes font plus qu'à l'ordinaire depuis que je suis arrivée et j'en suis profondément touchée.

Le repas terminé, nous sortons dans la cour. Je discute avec Gilles qui habite chez Moussa depuis deux ans. Il fait partie d'Aupej lui aussi. Informaticien chevronné, il a suivi une formation qui, malheureusement, ne lui a pas donné d'emploi. Il passe des heures à perfectionner ses connaissances avec l'ordinateur, outil presque anachronique ici. C'est Bonaventure qui en a fait cadeau à l'association. Gilles domine si bien son sujet que la mairie fait souvent appel à lui pour explorer les nouveautés des derniers logiciels reçus. Ces temps-ci, nous n'avons pas eu beaucoup l'occasion de nous voir. Lui à la mairie, moi à l'école. Mais la semaine prochaine, nous devons travailler sur un des projets pour lesquels je suis venue : la mise en place de la bibliothèque.

Pour l'instant, c'est l'heure du spectacle. Gilles entre dans la pièce presque vide qui sert de salle de vie. Sur une des nattes repose un matelas en mousse. Face à lui un divan, que les années et les mauvais traitements ont harassé. Le tissu qui le recouvrait a pratiquement disparu, laissant la mousse apparente.

Dans un coin de la pièce, sur une table en bois, trône l'objet qui fait rêver tout le quartier. La télévision. Depuis plus d'un an, de nombreuses familles assistent émues à la version mexicaine de « Dallas » : « Marie Mar ». Gilles sort la table et la télé dans la cour. Les nattes se déplient, des bancs s'installent, les voisins affluent. À vingt heures trente, trois fois par semaine, les téléspectateurs s'immobilisent devant le petit écran pour partager la vie de cette fille-partie-de-rien-qui-devient-riche, mais à qui l'amour ne sourit pas.

J'observe les regards de mes voisins. Fascinés, bien que certains ne comprennent pas le français, ils suivent avec un intérêt déconcertant ce feuilleton. Il touche aux émotions et sentiments universels : amour, haine, jalousie, joie, désespoir... Chacun s'y reconnaît. Tous s'y projettent. Ils vivent par personnes interposées ce que parfois ils ne peuvent exprimer. Ils découvrent sur l'écran, idéalisé, le quotidien de ceux qui ont tout, alors qu'ils assistent autour d'eux à la lutte de ceux qui n'ont rien. Ce luxe dans lequel l'héroïne évolue, qu'en pensent-ils ?

Ils ont rêvé le temps d'une heure.

La garderie

Cinq heures du matin.

Les premières paroles du Coran résonnent dans les haut-parleurs. L'un d'eux se trouve à deux maisons de la nôtre. Tous les matins, dans mon demi-sommeil, je rêve de débrancher cette voix grésillante qui appelle les fidèles au recueillement. Pour les athées, c'est une incitation à l'endormissement des esprits. Ici, il n'est pas question de remettre en cause la religion de Mahomet qui triomphe depuis neuf siècles. Elle touche plus de quatre-vingts pour cent de la population. Le christianisme a converti la minorité restante. Le peuple, comme dans les pays en voie de développement environnants, a des difficultés à imaginer une organisation sociale différente de celle qu'il a sous les yeux. La religion, les religions, l'empêchent de prendre conscience de son état et lui demandent de l'accepter : « Ainsi le veut Allah » ou « Allah n'est pas obligé d'être juste »... Cette consolation utopique, ce soulagement éphémère allègent sa pauvreté, interdisent la révolte.

Hier, en discutant de croyances avec Gilles, il m'a confié :

« Chez nous, un baobab, un lézard, ou même un rocher détiennent une force spirituelle. Dans la région du Sine Saloum, à Kaolack, le margouillat est considéré avec le plus grand des respects. C'est une divinité et personne n'oserait lui faire du mal. »

En Nouvelle-Calédonie, il représente un mauvais esprit...

Aujourd'hui encore, malgré les apparences, l'animisme est partagé par beaucoup. Quand la médecine des blancs, les prières ou les pratiques mi-religieuses, mi-magiques des marabouts se révèlent impuissantes, bien des Sénégalais font appel à des féticheurs ou à des sorciers. Fusion silencieuse de cultures et de religions différentes.

Kiné est déjà arrivée, il est six heures. Elle commence par nettoyer la cour. De longues et fines tiges végétales tenues par un cordon lui servent de balayette. Elle soulève la poussière de sable et rassemble d'un coup de poignet rapide et précis les détritus qui jonchent le sol ocre : papiers, feuilles, brindilles, sachets, crottes de canard. Sans soulever la poussière, elle lisse le sable comme pour le peigner et laisse à sa surface les traces symétriques, témoins de son passage discret.

Médina dort encore profondément. Je m'extrais délicatement de ma bulle de tulle anti-moustique et quitte le lit sans la réveiller.

Je vais prendre ma douche et traîne mollement derrière moi un rêve inachevé. J'ai mal dormi. Je remplis le seau d'eau muni de la boîte de conserve et de ma serviette. Je me dirige vers le coin des « cabinets ». Le lait blanc de la savonnette recouvre mon corps déjà moite. Je suis encore dans mon rêve. La chute du savon dans le trou me ramène rapidement à la réalité.

Moussa est rentré cette nuit de Dakar. Assis à même le sol sur le linoléum de la chambre, nous partageons notre petit déjeuner : pain, café, lait en poudre et pâte à tartiner au chocolat.

Il me parle d'Aupej dont il est le créateur et un des piliers essentiels. Depuis 1993, cette association réunit des centaines de garçons et filles de quatre à dix-huit ans qui se retrouvent exclus et dans une grande précarité sociale.

Il m'explique qu'une poignée d'éducateurs, de parents et de jeunes se sont engagés pour lutter contre ces marginalisations. Ils veulent donner aux habitants du quartier les moyens pour avoir une conscience sociale afin d'agir contre leur pauvreté.

« Cela ne pourra passer que par l'éducation alternative. L'Acapes où tu as enseigné cette semaine est un bon exemple. »

J'approuve les paroles de Moussa. Il refuse l'acceptation de la médiocrité et met à l'écart les fables passéistes de la religion qui méprisent la réalité du présent.

Médina entre dans la chambre et nous annonce la visite d'Aïda. Moussa me présente cette petite femme d'une quarantaine d'années. Ses cheveux tirés en chignon entourent un visage rond et souriant. L'éclat de ses yeux, les paroles chaleureuses qu'elle m'adresse me la rendent proche immédiatement. Elle est la responsable de la garderie.

Elle en parle avec fierté et nous avoue qu'elle est épuisée nerveusement. Elle a terminé l'année pratiquement seule avec une quarantaine d'enfants de trois à six ans. En un an, l'effectif a plus que doublé. Les animatrices bénévoles sont des mères pour la plupart et il leur est souvent difficile d'assurer un suivi.

La garderie a récemment changé de lieu. Moussa me propose d'aller la visiter. Aïda nous quitte et me promet de revenir bientôt.

Sur le chemin qui mène à l'unique classe, Moussa ne cesse de saluer les personnes qu'il croise. Il discute rapidement avec les uns, s'attarde avec les autres. Il n'est là que le week-end, aussi est-il très sollicité par les habitants de son quartier. À chaque rencontre, il me présente :

« C'est Francy, elle vient de France et elle est venue nous aider pour Aupej. »

Un instant plus tard, il me confie :

« Il faut que les gens sachent que notre association intéresse même des Européens. Ainsi, ils se rendent compte que nous existons vraiment et que nous sommes connus et reconnus en France! »

Plus j'écoute Moussa, plus je vois la misère de ce

pays et mieux je réalise le désengagement de l'État dans des domaines aussi essentiels que celui de l'éducation. Sur huit millions de Sénégalais, six ne savent ni lire ni écrire...

Il a toujours été plus facile de gouverner un peuple illettré. L'ignorance rime avec dépendance et obéissance. L'instruction avec indignation et insoumission. Certaines personnes au pouvoir ont choisi. Il y a sans doute chez les décideurs des personnes de bonne volonté, mais de quelle marge de manœuvre disposent-elles dans un contexte économique aussi désastreux ?

Nous arrivons devant la garderie, perdue au milieu d'un grand terrain, que le père de Moussa a offert à l'association. La structure d'accueil a été construite grâce à l'argent d'une souscription organisée de France par l'école alternative Bonaventure. Le grand espace sablonneux qui s'ouvre devant nous sert de cour de récréation.

Trois maçons fabriquent des parpaings. La terre au sable mélangé est, par pelletées précises, déversée dans un moule, tassée puis rapidement démoulée. Posées sur le sol, les briques fraîchement modelées sécheront ainsi au soleil. Elles vont servir à l'édification du mur qui délimitera la cour de récréation. En effet, jusqu'à présent, les camions n'hésitaient pas à traverser le terrain pour éviter de faire le tour par la route. Moussa pousse la porte métallique. Fermée depuis plusieurs jours, la salle est devenue un véritable four. À l'intérieur, quelques flaques de sable recouvrent le sol en ciment. Une dizaine de chaises en fer accordent leur taille minuscule aux trois ou quatre tables rassemblées dans un coin de la pièce. C'est tout.

« J'aimerais que tu puisses, avant ton départ, assister à la construction de la deuxième salle que nous allons bâtir juste à côté de la garderie », me confie Moussa.

Il m'explique qu'elle servira de bâtiment administratif pour l'Acapes. L'association aimerait également que ce lieu permette aux jeunes des quartiers de se regrouper pour se familiariser avec des métiers manuels. Par exemple, un atelier couture pour les filles. Les enseignantes seraient des femmes du quartier ou du village. Mais, son grand projet serait la création d'un centre polyvalent où les jeunes pourraient apprendre la menuiserie et la mécanique. Ainsi formés, ils trouveront un emploi plus facilement. Ils ont déjà pris contact avec l'Industrie chimique du Sénégal située à quelques kilomètres d'ici. Il essaie d'obtenir un appui financier pour ces formations afin de faire en sorte que cette entreprise emploie les jeunes qui sont sur place.

Moussa parle très vite, avale des mots, en oublie certains. Il passe d'une idée à l'autre avec une rapidité phénoménale et me laisse à peine le temps de saisir ses pensées. Ses connaissances sont d'une telle richesse. Homme sur le terrain, depuis des années, il a eu le temps d'analyser les moyens à mettre en œuvre pour faire avancer son pays. La soumission, il la refuse. Il passe à l'offensive en impulsant des dynamiques de quartier et essaie d'impliquer les jeunes avant tout. Les plus grands prennent en charge les plus petits en organisant des activités pendant les vacances.

Cette semaine, ils ont préparé un tournoi de foot. Par le biais du sport, les aînés tentent de leur donner des principes de base : respecter l'adversaire, refuser la violence.

Nous arrivons sur la place où les jeunes se sont réunis pour organiser les équipes et les matches qui se dérouleront pendant trois semaines. Moussa saisit l'occasion pour transmettre les règles dont il vient de me parler. Des dizaines de petites têtes noires écoutent attentivement ses conseils.

« N'oubliez pas, dit-il pour terminer, de venir propres et lavés! »

Pendant son intervention, je sens des mains d'enfants me frôler. L'une d'elles ose s'attarder et prolonge le contact en se promenant dans ma paume, discrètement. Nous partageons donc le même désir : toucher la peau de l'autre, celle qui a une couleur différente.

Moussa, intarissable, continue de me parler.

Depuis la fin des années soixante, son pays a enduré des sécheresses répétées qui l'ont conduit à une crise terrible. Auparavant, la population rurale était majoritaire. L'élevage, l'agriculture permettaient aux ruraux de s'en sortir. De nombreux artisans habitaient dans le quartier : cordonniers, forgerons. D'autres travaillaient le cuir ou faisaient de la vannerie.

« Le gouvernement n'a rien fait pour donner la force et les moyens à ces paysans et artisans de faire face à la crise. Il ne leur a pas appris à utiliser les eaux de ruissellement, à remédier au manque d'eau en les aidant à choisir des cultures qui poussent rapidement et qui n'ont pas besoin de beaucoup d'arrosage. »

Moussa se demande où sont les ingénieurs sénégalais :

« Ils sont devenus des fonctionnaires passifs, alors que nous aurions besoin de leurs conseils pour transformer le milieu rural en espace économique et social. Nous ne devons pas nous contenter de cultiver, mais encourager l'agro-production. Par exemple, à partir des produits agricoles, la population pourrait transformer le lait en produits laitiers, l'arachide en pâte d'arachide etc. »

Pays sub-saharien, le Sénégal cumule difficultés économiques et contraintes climatiques, ce qui entretient inexorablement la pauvreté, voire la sous-alimention. On ne prête qu'aux riches, et les Africains sont riches de tant de manques.

Nous arrivons à la maison. Les deux fils de Moussa se précipitent vers lui. Il porte dans ses bras l'avenir de son pays auquel il ne cesse de réfléchir et de travailler.

Ma première semaine à Tivaouane prend fin. Dans un pays étranger, cette semaine-là dure deux fois plus que celles à venir. Chaque jour se nourrit d'odeurs, d'images, de couleurs, de sons jusqu'alors inconnus. Ces découvertes constantes étirent les heures, indéfiniment, et donnent à l'esprit un attrait de tous les instants.

La tribu de Bitiw

Avant de repartir à Dakar pour la semaine, Moussa m'a demandé de l'accompagner à la tribu de Bitiw, tout près de notre village. Pour quelle raison ? Je l'ignore et ne le lui demande pas. J'apprivoise la patience et accepte l'attente que le temps africain m'accorde pour trouver les réponses.

Nous décidons de nous y rendre à pied. Dans les ruelles de Tivaouane, Moussa est fréquemment interpellé par les gens que nous rencontrons. Même lorsqu'ils ne s'arrêtent pas pour bavarder entre eux, leur façon de se saluer m'étonne et me fait sourire. Ils continuent de se parler après s'être croisés et répondent, tout en s'éloignant, aux questions portant sur la santé des leurs :

« Et ta femme ?

– Elle va bien. »

Quelques pas plus loin :

« Et tes fils ?

– Ils vont bien merci. »

Toujours en continuant à marcher :

« Tout va bien ?

– Tout va bien, Dieu merci! »

Les mots s'affaiblissent ainsi dans la distance et la rituelle litanie des salutations se perd en murmures inaudibles.

Les dernières calèches de Tivaouane nous croisent.

Nous nous retrouvons seuls sur le chemin qui mène à la tribu. Quelques rares plantes vertes, amputées à leur extrémité par des chevreaux affamés, colorent ici et là la longue étendue de sable. Pour la première fois, en traversant la nudité de ce paysage, je ressens la pesanteur intime du désert.

Nous nous approchons de la tribu. Des champs de haricots ont commencé à verdir. Deux enclos gardent le bétail. Les cornes imposantes des bœufs soulignent grossièrement la maigreur de leurs flancs. Dans ce paysage aride, le regard ne s'accroche à rien. Je suppose que les enfants de Bitiw ont dû, depuis longtemps, apercevoir nos deux silhouettes. Malgré les ruelles désertiques, je sens leur présence invisible, cachée derrière les haies de branchage tissé.

Dans une cour, à l'ombre d'une case, une vieille femme est assise sur une natte. Immobile, elle ressemble à une statue momifiée par les ans, les fatigues et la pauvreté. Je n'ose attarder mon regard sur elle, et pourtant mes yeux retournent irrésistiblement dans sa direction. L'image de la dignité dans l'extrême dénuement.

Je ne vois qu'elle. Son visage semble désespérément attentif. À qui ? À quoi ? Ses yeux sont remplis d'une si profonde solitude qu'elle semble absente à son propre corps. Pleine d'une immobilité parfaite, ses rides en paraissent figées. En fait, elle est prisonnière de ses infirmités. Elle est sourde et aveugle.

Des enfants nous accompagnent jusqu'à la maison du chef. Assis sur le pas de la porte, il semble nous attendre. Il s'adresse longuement à Moussa. Leur langue m'empêche de comprendre le détail de leur conversation. En les observant, je remarque que l'attitude de Moussa, devant l'ancêtre, traduit le même respect irréprochable que les Kanaks témoignent à leurs aînés.

Moussa me présente à l'imposant vieillard. Impressionnée, je lui tends la main pour le saluer. Il ignore mon geste et mes doigts restent stupidement en l'air. J'avais oublié : certains musulmans ne serrent pas la main des femmes. Il me répond toutefois par un hochement de tête. Son petit-fils traduit notre brève conversation puis, nous prenons congé.

Nous nous dirigeons vers la place où règne une animation inhabituelle. Une simple visite comme la nôtre apporte son petit bouleversement. Autour d'un puits, six enfants appuyés à la margelle assistent du regard leur jeune compagne qui remonte avec force et adresse l'outre gorgée d'eau. Soudain, des dizaines d'enfants venant de tous côtés se dirigent dans notre direction. Des enfants de toutes les tailles, de tous les âges, de toutes les curiosités. La nouvelle a dû faire le tour de la tribu. Ils sont tous là. Moussa leur explique qu'à quelques kilomètres de chez eux, il va y avoir une bibliothèque. Ils pourront y venir quand ils voudront. Cette bonne nouvelle ne s'adresse qu'à quelques-uns. Un adolescent s'approche de nous et témoigne sa joie en apprenant qu'il pourra, pendant les vacances, consulter les livres scolaires qu'il n'a pas eu les moyens d'acquérir cette année.

Voilà donc l'explication de notre visite à Bitiw.

Sur le chemin du retour, les bêlements de chevreaux emplissent l'air chaud de cette fin de journée. Leurs plaintes évoquent étrangement des cris d'enfants qui réclameraient leur mère, désespérément. La ressemblance est compréhensible : les chèvres, ne trouvant plus leur pâture sur place, doivent s'éloigner de leurs petits une bonne partie de la journée pour revenir les allaiter le soir. C'est à cette heure-là que les chevreaux rappellent leur mère à leur devoir.

De retour à Tivaouane, nous longeons une grande place, au milieu de laquelle un immense édifice donne à voir un toit en coupole majestueux. À l'interrogation de mon regard, Moussa m'éclaire tout de suite. C'est la mosquée qui a été construite l'année dernière. Il ajoute :

« Deux millions de francs... »

Le montant me paraît colossal. Je lui demande qui a pu payer une telle somme.

Ce sont les fidèles, me répond-il. Le marabout leur a demandé de participer à l'édification de cette mosquée.

Tivaouane est la capitale des tidianes. Cette confrérie

a été fondée au XVIIIe siècle et ses chefs, les califes, résident toujours dans le village. Tivaouane est un lieu saint et tous les ans, fin juin, il est envahi par plus d'un million de pèlerins. À deux semaines près, Moussa se demande où il aurait pu m'héberger. Le village est méconnaissable, ajoute-t-il. Des fidèles partout, dans les rues, sur les terrasses des maisons.

J'ose à peine imaginer les conditions de vie pendant la durée du pèlerinage.

L'arrogante mosquée blanche, surmontée de sa coupole vert amande, domine toute la place. Allah y est bien logé. Pour sa construction, le marabout n'a pas hésité à faire abattre les habitations qui gênaient. Les villageois ont dû s'exiler à l'extérieur du village.

À quelques pas de là, un fromager solitaire aux racines aériennes impose sa présence séculaire. Rare représentant de l'espèce arboricole dans le village, il attire d'autant plus mon regard. Ses branches recouvertes de feuilles vert bronze paraissent ridiculement courtes en comparaison de son tronc monumental. Enraciné dans le sable, il ignore le monticule de détritus qui souille son pied.

Quelques mètres plus loin, Moussa me montre une immense bâtisse de plusieurs étages dont une partie est en cours de construction. Je pense qu'il s'agit un hôtel. En fait, c'est la maison du marabout et de ses épouses. Je ne peux m'empêcher de demander à Moussa comment la population réagit devant un tel luxe :

« Ils ne disent rien. La richesse de leur marabout est une preuve de reconnaissance et de pouvoir. Ils n'ont que plus de respect envers lui. Même les hommes politiques le respectent profondément et, lors des élections, certains viennent lui demander conseil. Ils lui donnent même beaucoup d'argent. »

Je n'ose pas exprimer la colère qui m'anime et la garde pour moi. Le pouvoir des religions est décidément incontournable. Combien de religieux trahissent ainsi l'intérêt collectif au profit de leurs propres intérêts ? Ce n'est pas avec des prières que le problème de l'injustice se réglera. Combien de temps encore utiliseront-ils à leur profit la crédulité et l'ignorance de leurs fidèles ?

Depuis que je suis arrivée, à entendre et à regarder vivre les personnes autour de moi, j'ai l'impression de me retrouver au Moyen Age, quand les inégalités et les injustices sociales étaient considérées comme des épreuves envoyées par Dieu.

Les mots de Moussa font écho à mes paroles silencieuses :

« Aujourd'hui, il ne s'agit plus d'accepter le monde tel qu'il est, ni de se contenter de soulager les malheurs des plus démunis, mais de remettre en cause l'ordre établi pour le bien de tous. C'est pour toutes ces raisons que nous devons lutter contre les inégalités sociales par l'éducation, la solidarité et le progrès. »

Nous arrivons à la maison. El Hadji surveillait notre retour à l'entrée de la cour. Il se précipite vers Moussa, lui saute au cou et pose dans ses bras l'adoration sans limite d'un fils pour son père.

Mon ami le tailleur

J'ai promis à Rokhaya de cuisiner le prochain repas. « Français », m'a-t-elle précisé. Il est toujours difficile de vouloir transposer à l'étranger une recette de son pays, pour la simple raison que certains ingrédients sont impossibles à trouver. J'improviserai le menu une fois au marché.

Le marché.... Médina me sert de guide à travers ces corridors humains.

Exubérance des couleurs. Les boubous des femmes exhibent leurs coloris bariolés, assortis ou non à leur mouchoir de tête.

Abondance des marchandes. Les plus pauvres, assises sur le sol en plein soleil, attendent, patientes, l'acheteur à venir. Les vendeuses de poisson ne cessent d'éventer les corps luisants de leur marchandise. Tout près, des centaines de mouches noircissent les restes de mangues.

Profusion des odeurs. Les relents de poisson, fumé ou frais, se mélangent aux puanteurs âcres et écœurantes des déchets abandonnés. Mes narines habituées aux odeurs aseptisées des supermarchés acceptent difficilement ces effluves exotiques.

Certains marchands ont installé à l'ombre d'abris précaires toute leur richesse : carottes, choux verts, patates douces, haricots... Au détour d'un étal, une femme s'active à peser ses légumes. Médina me présente sa mère en ajoutant :

« C'est ici que nous allons nous servir. »

Je suis quelque peu surprise de ces présentations, persuadée qu'elle était la fille de Moussa et de Rokhaya. Elle m'explique qu'ils l'ont adoptée il y a quelques années. Comme souvent dans les communautés traditionnelles, l'adoption fait partie des pratiques qui se perpétuent naturellement pour combler le manque d'enfants ou pour renforcer des liens entre familles.

Nous continuons à nous faufiler à travers le marché. Je découvre un semblant de halles qui abritent plusieurs commerçants. Un boucher étale avec fierté ses morceaux de bœuf et de mouton sur lesquels une nuée de mouches se délecte.

C'est au retour, à l'angle de deux ruelles que nous trouvons le marchand de volailles. Les poules restent immobiles et silencieuses dans leurs cages de fortune. Médina me demande :

« Laquelle veux-tu ? »

Je n'ai jamais été amenée à choisir une volaille sur pattes! Le marchand en saisit deux et me les montre. La tête en bas, les poules caquettent leur mécontentement. Je choisis rapidement, pressée d'en finir. Devant mon expression hébétée, Médina me rassure tout de suite :

« T'inquiète pas, c'est pas toi qui la tueras. Les petites, Nabou et Soda, ont fait l'école coranique, elles sauront la préparer. »

Merci l'école coranique!

Avec ce que nous rapportons dans le panier et en l'absence de four à la maison, le menu s'impose de lui-même : poule au pot.

Niaye, le tailleur, habite la maison mitoyenne de celle de Khadi et de sa grand-mère. Il partage la cour avec notre petite communauté. Il vit seul dans sa chambre-atelier. Sa femme et ses enfants sont restés à la tribu. Il leur rend visite parfois le week-end et leur apporte l'argent économisé parcimonieusement. Notre « ami le tailleur », comme nous l'appelons avec Gilles, chante plusieurs fois par jour sa litanie, qu'il termine toujours par un grand éclat de rire :

« Je ne mange que du riz et du mil,
et n'ai qu'un seul ami, Gilles. »

Niaye est assis devant sa machine à coudre. Un tissu jaune et noir glisse le long de ses jambes au rythme de ses pieds qui actionnent régulièrement la pédale de la vieille Singer. Il s'arrête pour discuter un moment. Les visites des voisins sont souvent les seules distractions de la journée. Priorité à l'échange, la confection des boubous attendra.

L'empressement n'est pas de mise en Afrique. Dans mon pays, la lenteur est souvent associée à l'impuissance à adopter un tempo plus rapide. Alors que j'ai souvent pensé qu'elle était la capacité à ne pas se laisser bousculer par le temps. Ici, il n'y a pas de temps perdu à rattraper, il n'y a que des heures à passer, lentement, très lentement.

L'outil de travail de Niaye lui est prêté par le père de Moussa. Chaque soir, il le lui ramène pour lui emprunter à nouveau le lendemain. Rite quotidien qui lui rappelle silencieusement que la machine à coudre ne lui appartient pas. Apprenti pendant six ans à Dakar, il est venu s'installer à Tivaouane comme tailleur. Les femmes du quartier lui apportent les tissus dans lesquels il taille des boubous multicolores. Les mesures prises ne correspondent pas toujours à celles de la robe finie. Peu importe, le charme de l'imprécision est égal à celui de la surprise.

Gilles et moi nous installons sur le banc face à lui. La première fois que je suis venue lui parler, il demandait à Gilles de traduire ce que je disais, plus par gêne que par incompréhension. Maintenant que la pudeur est tombée, nous parlons en français. « Je n'ai pas fait les bancs, me dit-il souvent, ou si peu. » Et l'on sent dans sa voix, le regret de n'avoir pas été à l'école aussi longtemps qu'il l'aurait souhaité. Nous arrivons à nous comprendre et échangeons l'essentiel : la chaleur humaine.

« Combien de robes fabriques-tu par semaine, Niaye ?

– Ça dépend. Quand il y a des fêtes, je peux en faire une à trois par jour. Mais je n'ai pas assez de commandes. Il faudrait que… »

Il attend que je relance sa phrase :

« Que faudrait-il ?

– Si j'avais un peu d'argent, je pourrais acheter des tissus et exposer les robes que je fais. »

Tout de suite, je pense à l'argent que je pourrais lui donner pour lui permettre de se lancer. Mon réflexe d'assistanat réfréné, je lui demande :

« Tu as entendu parler des guichets d'épargne des femmes ?

– Oui, un peu. Mais c'est pas pour moi.

– Tu dis ça parce que tu es un homme ?

– Oui. Et en plus, je n'ai pas d'argent.

– Tu penses qu'elles ne prêtent pas aux hommes ? Je dois les rencontrer demain, je leur poserai la question. Je suis à peu près sûre que les femmes qui empruntent à ces guichets n'ont pas plus d'argent que toi.

– Non, ce n'est pas pour moi », insiste-t-il et il se remet au travail.

J'essaie de comprendre ce qui l'empêche de se lancer. Le peu d'argent qu'il gagne, il le donne à sa femme. Il ne peut pas imaginer lui en rapporter encore moins. C'est à peine s'il peut s'acheter quelques grammes de tabac et les feuilles pour le rouler. Fumer : le seul plaisir qu'il peut s'accorder deux ou trois fois par jour. Les jours de fête, il achète une cigarette toute faite.

La pauvreté donne la vue courte. Elle fait vivre au jour le jour et rend impensables les projets à long terme. La pauvreté : la modération qui se répète jusqu'à l'acceptation du presque rien.

Banque des femmes

Cette après-midi, les principales responsables des guichets d'épargne et de crédit m'ont invitée pour me parler de leur activité. Nous nous sommes donné rendez-vous chez Moussa. Elles arrivent les unes après les autres dans la salle de vie, se posent sur les nattes ou s'installent dans le canapé. Leur élégance vestimentaire valorise leur aisance naturelle. Elles dégagent une grâce innée, soulignée par des boubous aux plus vives couleurs qui ajoutent à leur beauté noire.

Tour à tour, elles m'expliquent le rôle et l'importance de leurs guichets. Je comprends que ce sont des réponses à des stratégies de survie. Pour parer à la précarité, elles inventent des systèmes qui permettent d'épargner de petites sommes et de les mettre en sécurité. Gérantes du quotidien, elles donnent les moyens à d'autres personnes d'être plus autonomes, de stimuler des initiatives et de se prendre en charge. Elles permettent également aux plus démunis de s'intégrer dans une économie qui n'est pas au service de l'argent, mais où « l'argent est au service de la communauté », comme elles se plaisent à le souligner. Ces femmes se révèlent être de très bonnes gestionnaires. Parties de sommes dérisoires, elles gèrent aujourd'hui un capital non négligeable. Awa, la présidente, prend la parole :

« Notre banque des femmes, comme nous l'appelons, a le statut d'une association. Nous avons commencé en mars 1997. »

Elle me présente tour à tour la vice-présidente, la secrétaire, la trésorière et deux guichetières.

Awa chausse ses lunettes et, avec le sérieux d'une collégienne, lit avec application les chiffres inscrits sur un cahier d'écolier.

« La première année, une cinquantaine d'entre nous avait épargné la somme de trois mille francs. Une organisation non-gouvernementale nous a donné dix mille francs pour nous encourager. »

Awa se tourne vers Dneye qui me donne en détail le déroulement de l'emprunt :

« Lorsqu'une personne, homme ou femme (je retiens l'information pour Niaye) veut emprunter, elle doit acheter un carnet sur lequel sera noté l'épargne versée par semaine ou par mois. Pour avoir droit à un financement, l'emprunteur doit épargner pendant un an minimum. Ainsi elle se familiarise avec le fonctionnement de l'épargne avant de prendre un crédit. »

Je réalise rapidement que ce système d'emprunt repose sur un principe qui fait sa force : ne prêter qu'aux plus démunis des petites sommes, remboursables à court terme, sept mois maximum.

« Pour quels projets peut-on emprunter ? »

Cette fois, c'est Aïda qui me répond :

« Ces financements sont faits pour des micro-projets. Très souvent pour des activités commerciales. Par exemple, la vente de tissus ou de denrées alimentaires. La personne qui emprunte sera accompagnée par l'une d'entre nous pour réaliser son projet. Celle-ci sera remboursée par l'emprunteur des frais occasionnés par sa démarche d'accompagnement. »

Aujourd'hui, l'association est présente dans quatre quartiers à Tivaouane et compte près de deux cents adhérents.

Avec application et conviction, les responsables continuent à répondre à mes questions. La chaleur à l'intérieur devient suffocante, Rokhaya nous propose d'aller nous asseoir dans la cour où Médina prépare le thé à l'ombre reposante des eucalyptus. Elle fait infuser un mélange de thé vert et de feuilles de menthe dans une bouilloire qui chauffe sur le fourneau ambulant. Ses gestes très précis esquissent le rituel du service. Avec dextérité, elle verse de très haut le liquide jaunâtre dans un petit verre. La force du jet dissout le sucre et fait apparaître à la surface une légère mousse blanche à travers laquelle les lèvres viendront goûter l'amertume du premier verre. C'est Soda qui nous l'apporte. Elle me le tend et attend que je finisse de boire pour aller le remplir et l'offrir à nouveau aux invitées. Ce rite est observé trois fois de suite. Le second verre est délicieux, l'amertume a disparu. Le troisième est mon favori, le goût fort de la menthe envahit le palais. Ainsi, deux ou trois verres circulent de main en main, de bouche en bouche avant de retrouver leur place sur le plateau en attendant une prochaine visite.

Par petits groupes, les femmes s'en retournent chez elles. Je les regarde s'éloigner et reste impressionnée par leur détermination et leur efficacité à gérer avec autant d'énergie leur quotidien. L'assistanat, elles le refusent et se donnent les « micro-moyens » pour réussir là où trop des leurs, fatalistes, n'imaginent même pas un changement possible. Je leur fais confiance et ne doute à aucun moment de la réussite de leur aventure. Je ne sais pas encore que l'avenir me donnera raison.

La bibliothèque

Quelques mois avant mon arrivée, une pluie diluvienne avait obligé Médina, Nabou et Soda à transporter en catastrophe les quatre cents livres de la bibliothèque dans une pièce attenant à la maison. Aujourd'hui, il s'agit de les classer et de les répertorier sur ordinateur. Les livres sont empilés les uns sur les autres, je les sors un par un puis transmets à Gilles les fiches qui leur correspondent.

Ce sont des manuels scolaires pour la plupart, rassemblés et envoyés par l'école Bonaventure. Ils viennent de collèges de Charente-Maritime. Lorsque je découvre des ouvrages de grammaire, de français, et de maths en plusieurs exemplaires, j'en suis ravie. J'anticipe la joie des instituteurs qui pourront distribuer un exemplaire à chaque élève. Pour les écoliers, c'est un trésor qu'ils regardent avec envie dans les mains du maître ou qu'ils doivent partager la plupart du temps.

Je trie les ouvrages et les colonnes de papier, qui s'entassent, intriguent les enfants. Nabou, Soda et Khady se sont assises près de moi. Elles m'observent et je sens leur désir pressant de feuilleter ces objets qui leur sont si peu familiers. Elles ne savent pas lire. Je leur tends des illustrés et découvre leur regard fasciné par les images d'enfants de pays lointains. Leur étonnement me rappelle mes premières lectures : mon regard d'enfant chavirait, des minutes entières, dans une image, s'y perdait puis revenait à la réalité, troublé pas ses découvertes. Hypnotisée par mes explorations, je replongeais à nouveau dans ce monde qui s'ouvrait à moi et m'y exilais des heures entières.

Le classement des livres ne peut se faire que le matin : l'après-midi, la pièce minuscule où nous travaillons, Gilles et moi, devient une fournaise. Il est près de midi, nous transportons les dernières piles dans la chambre voisine. Je me sens lasse et attribue cette fatigue à la chaleur. Il nous reste si peu à faire, que je fais confiance à mon entêtement pour me donner le courage de finir. En me relevant, mon corps vacille et je m'effondre au beau milieu des livres. Je m'accroche à mon orgueil et au bras que Gilles me tend. Je me relève aussitôt et m'apprête à continuer. Gilles d'une voix calme me demande de m'asseoir :

« Tu travailles trop », me dit-il.

Et moi qui ai l'impression de ne pas avancer.

En France, tout aurait été fait en deux jours. La fin

de la semaine approche et nous n'avons toujours pas fini. Je raye rapidement cette comparaison absurde et me reprends : en France, ce qui compte c'est que les choses soient faites dans les temps, ici, c'est qu'elles soient.

Gilles a de touchantes attentions vis-à-vis de moi. Sa discrétion est invisible, seuls ses gestes ou ses mots témoignent de sa prévenance. Quand il sait que je vais travailler à l'ordinateur dans sa chambre, il fait suivre le ventilateur. Si nous partons au centre du village et que des nuages menacent, il prend un parapluie « pour t'abriter s'il se mettait à pleuvoir », me chuchote-t-il.

Nous aimons travailler ensemble. Je le bouscule un peu, il me modère parfois. Il m'explique que la cinquantaine d'adhérents de la bibliothèque, des scolaires pour la plupart, paient cinq francs par an pour l'emprunt des manuels. Les plus demandés sont les annales de brevet, de baccalauréat et les livres de philo.

Tous les livres ont été saisis sur l'ordinateur. C'est en soulevant les derniers que j'ai délogé de sa cachette la souris qui m'avait souhaité la bienvenue lors de ma première nuit. Les piles attendent d'être transportées dans leur lieu définitif : la garderie dont une partie sera aménagée en bibliothèque. Il y a quelques jours, Gilles, Moustapha et moi-même avons fait venir un ferronnier afin qu'il confectionne des étagères métalliques. Nous lui avons donné rendez-vous à la garderie pour discuter des mesures et de l'emplacement idéal. L'artisan ne parle pas français. Gilles et Moustapha me servent d'interprètes.

Au bout de quelques minutes, j'exprime discrètement ma surprise à Gilles :

« Il ne prend pas de notes ? Comment fera-t-il pour se souvenir de tout ? »

Je me propose de lui laisser le dessin du plan avec les mesures :

« Ce n'est pas la peine, précise Gilles, il ne sait ni lire ni écrire. Ne t'inquiète pas, c'est quelqu'un qui a l'habitude. »

Je ne m'inquiète pas.

J'aurais dû.

La semaine suivante, nous allons découvrir l'installation avec l'impatience et la joie que donne la concrétisation d'un projet. Quelle n'est pas notre déception... Les étagères métalliques ont été grossièrement fixées au mur, pas une n'est droite. Trop lourds, les livres ne manqueront pas de les incurver. Les équerres ont endommagé les murs de la salle récemment bâtie. Je n'ose trop exprimer mon mécontentement. Gilles et Moustapha signifient le leur dans la mesure. Nous sommes profondément déçus.

À peine deux kilomètres séparent la maison de Moussa de la garderie où nous devons amener les livres. La question du transport se pose très vite. Je demande à Gilles où nous pourrions récupérer des cartons. La réponse est simple : il n'y en a pas. J'avais pensé demander aux enfants du quartier de nous aider, mais après réflexion, je réalise très vite que le long et fastidieux classement serait fortement perturbé par ce voyage. Moustapha nous propose des valises et des sacs de voyage. Nous y entassons les manuels et louons les services d'une calèche qui, en trois aller-retours, mettra un terme à notre préoccupation.

Quand un projet aboutit, l'interrogation sur son devenir est inévitable. Je me demande qui va gérer la bibliothèque maintenant qu'elle a trouvé sa place. Au détour d'une conversation, Aïda m'apprend qu'une voisine a proposé ses services comme bénévole. Elle ajoute :

« Elle a fait une formation de bibliothécaire. Ça peut toujours servir ? »

Ainsi les choses se mettent en place, au gré du temps, au gré des gens...

C'est au fil de ces jours passés à travailler ensemble que Gilles me confie qu'il est de Casamance. En France, on m'avait fortement déconseillé de visiter cette province. La partie sud du Sénégal réclame son indépendance depuis plusieurs années et il est hasardeux de se promener dans certaines régions. Mais accompagnée d'un natif, qu'est-ce que je risque ? J'en parle à Gilles avec enthousiasme :

« Il n'est pas question pour moi de quitter le Sénégal sans avoir vu la Casamance. Alors, voilà ce que je te propose. Tu m'accompagnes en tant que guide et en échange je prends en charge les frais du voyage. Qu'en penses-tu ? »

Il ne s'attendait pas à une telle question. Revenu de sa surprise, il murmure :

« Tu sais, cela fait deux ans que je n'ai pas vu ma mère, elle va être contente. »

Le faux-lion

Les élèves de l'école, dans laquelle j'avais donné des cours au début de mon séjour, ont commencé les épreuves du brevet. Astou et Amy passent régulièrement pour me tenir au courant du déroulement des examens. Elles m'amènent leurs sujets à tour de rôle et attendent mes commentaires pour savoir si elles ont réussi. Nous discutons de leurs réponses, elles semblent confiantes et repartent rassurées. Elles ne pourront pas, malgré tout, faire l'économie de l'angoissante attente. Les premiers résultats seront donnés la semaine prochaine.

Assises sur une natte, sous l'ombre fragile du jeune eucalyptus, Rokhaya, Médina et moi espérons que s'estompe la chaleur de ce milieu d'après-midi. Borom Fataya, une amie de Rokhaya, arrive avec sa bassine cabossée sur la tête, remplie de beignets de poisson. Elle les vend dix centimes pièce. C'est sa façon à elle de gagner un peu d'argent. Les jours fastes, elle la remplit plusieurs fois. Ils sont délicieux. Elle les sert avec une sauce très pimentée qui freine rapidement la gourmandise. Au détour d'une phrase, elle m'évoque le faux-lion. Je n'en ai jamais entendu parler et lui demande de m'expliquer de quoi il s'agit.

« C'est une grande fête qui fait peur. Il y a un homme qui est déguisé en lion et qui court après les spectateurs. Ce soir il y en a un, on y va. Tu viens avec nous ?

– Bien sûr. »

Rokhaya m'explique rapidement la règle de ce spectacle qui semble l'effrayer :

« D'abord, il faut acheter un ticket. Si tu n'en a pas, le faux-lion court après toi et il te frappe. Il faut en avoir un, absolument! »

J'attends avec impatience la fin de l'après-midi. Médina et Rokhaya ont revêtu leur boubou de fête. Je me sens terne en comparaison. La pâleur de ma peau ressort d'autant plus face à l'éclat de la leur. Nous nous dirigeons vers le lieu du spectacle et rejoignons les dizaines de personnes qui foulent avec langueur les ruelles de sable. Ma curiosité me fait allonger le pas, mais leur indolence me ramène à leur rythme. Nous entendons, d'assez loin, des cris mêlant étrangement peur et joie. Un groupe d'enfants passe près de nous en courant. Il fuit un danger invisible. Soudain, à quelques mètres de nous, apparaissent deux hommes aux corps luisants, recouverts d'une fausse peau de léopard. Ils essaient d'attraper les jeunes resquilleurs.

Nous nous approchons de l'entrée de l'arène, délimitée par deux ruelles fermées aux extrémités. Des percussionnistes scandent le rythme déchaîné des cris, des rires et des angoisses du public assis sur des chaises ou sur le sable. J'assiste à un spectacle pour le moins déroutant et regarde sans comprendre ce qui m'est donné à voir.

Une jeune fille d'une vingtaine d'années, vient d'être saisie par un des fils du faux-lion. Il la traîne au milieu de la foule. Elle hurle, pleure, terrifiée. Le faux-lion arrive. Un homme, à la musculature énorme dessinée par des altères, la saisit et la frappe violemment. Le public rit. Je ne comprends toujours pas.

Pendant ce temps, les djembés continuent de nourrir de leurs pulsations effrénées ces scènes déconcertantes. La foule entonne des chants avec une ferveur africaine et bat des mains pour soutenir le rythme frénétique des tam-tams. C'est au tour de deux adolescents d'être amenés dans l'arène. Leurs regards effrayés ne trompent pas. Ils sont terrorisés. La femme du faux-lion, un travesti, les initie théâtralement à l'acte sexuel. Elle se couche sur l'un deux et mime des gestes amoureux, puis les oblige à s'embrasser sur la bouche. Cette caricature déchaîne l'hilarité du public. Je ne peux même pas sourire.

Seule blanche de l'audience, je suis vite repérée par la « femme » du faux-lion. Elle s'approche de moi et m'interpelle. Je réponds à ses questions. Elle me promet de revenir.

Rokhaya est terrorisée à son tour :

« Prépare de l'argent, vite. Le faux-lion va venir. »

Je refuse.

Après avoir maltraité d'autres resquilleurs, le faux-lion s'avance vers moi et me demande de le suivre. Je l'accompagne sans hésiter. Le rythme des percussions s'accélère. Le faux-lion commence à danser. Il me regarde et cherche à m'impressionner de son regard mi-félin, mi-humain. Je lui rends un regard souriant et confiant puis, commence à danser avec lui. Il sent qu'il ne m'impressionne pas. La foule hurle de rire. Rokhaya, affolée, se précipite vers moi, tend un billet au faux-lion et me ramène par le bras vers ma chaise. Je regrette qu'elle mette fin aussi rapidement à notre danse.

Ce spectacle déroutant s'étire pendant plus de deux heures. L'arrivée de la nuit met fin à la comédie collective. Sur le chemin du retour, des jeunes m'interpellent plusieurs fois en riant :

« C'est la première fois qu'on voit une blanche danser avec un faux-lion! »

C'est en lisant le journal que j'apprends la véritable signification de cette fête. La parade du faux-lion s'appelle le « Simb ». Pour certains, c'est un art qui a une portée mystique. La légende raconte qu'Ibou Lô, originaire du Gaya, fut le premier homme capable de dominer un lion. Après cette victoire, il fut porté en triomphe par la population du Walo. C'est ainsi qu'il instaura ce rite et qu'il initia le plus célèbre des faux-lions. Oubliée pendant quelques temps, cette tradition est, aujourd'hui, critiquée par d'autres Sénégalais. Pour ceux-là, cet héritage culturel a été détourné, le spectacle n'a plus qu'un enjeu : gagner de l'argent. Pour sa prestation, un faux-lion demande entre mille et huit mille francs.

Mon regard d'Européenne s'interroge sur ce que je viens de voir. Comment peut-on aimer voir des personnes terrorisées et en rire ? Qu'essaie-t-on d'évacuer par cette parodie de peur et de violence ? Il est des questions qui ont besoin de temps, de rencontres et d'écoute pour donner leurs réponses. Je suis malheureusement de passage.

De passage... Le fait de vivre le quotidien avec les gens d'ici m'aide à construire rapidement un réseau d'amis, de connaissances. Je partage les coutumes de mes hôtes africains et fais partie de la famille. Ils savent que je vais les laisser. Ce semblant d'enracinement me gêne. Je m'approprie leur quotidien et me nourris d'une vie apparemment sédentaire, dépourvue de toutes habitudes durables. Qu'en pensent-ils ?

Hier, un jeune du quartier est venu me voir. Il écrit des chansons et veut que je lui traduise ses textes en anglais pour son groupe de rap. Les paroles maladroites parlent de la souffrance des jeunes Sénégalais, de leur détresse après les multiples promesses du gouvernement. Cet adolescent connaît Aupej depuis quelques années :

« Grâce à l'association les jeunes du quartier se droguent moins. Mais ce poison est toujours là. Il tue les jeunes qui n'ont plus d'espoir. Moi, j'ai arrêté. Je veux me battre maintenant avec mes chansons et mon groupe. »

Il n'est pas le seul a exprimer sa colère. Un ouvrier,

qui travaille à la mine près de Tivaouane, a amené ce poème pour qu'il soit publié dans le journal d'Aupej, *Regard Pluriel* :

Le théâtre

Dans cette jungle sans lois,
Les pauvres sont aux abois.
Festins, baratins et banquets
Pour ces bourgeois bien drapés d'effets diapés.
Cette horde de loups aux dents de vampire
A une place de choix dans cet empire.
Sous le regard méprisable de l'ermite,
Ils s'entre-déchirent pour une pépite.
Pour assouvir leurs passions,
Ils ont perdu leur raison.
Sont au menu aubades et sérénades
Afin de séduire ces matadors en rade.
De nos jours, la dignité est un vain mot,
Bousculé par le gain, source de tous nos maux.
Il a su bien tenir, ce Dieu « Franc »,
Le manteau si propre des plus francs.
Votre bourse sans fond vous donne toujours tort
En face de ce nanti qui est le plus fort.
Ecrasés et avalés par le temporel,
Ils s'inclinent, ces gens vers le spirituel.
À quel saint se vouer,
Oh! Parias dévoués.

À la lecture de ce poème, une phrase de l'écrivain sénégalais Modibo Sounkalo fait immédiatement écho : « La masse populaire peut paraître stupide, mais elle sait bien ce qui lui est bénéfique et ce qui ne l'est pas, ceux qui l'aiment véritablement et ceux qui la méprisent. »

En route vers Dakar

La première prière matinale crépite dans les micros et fait fuir la nuit de sa voix nasillarde. Gilles soulève le rideau de notre chambre et, par un appel discret, nous convie doucement au réveil. Médina et moi répondons à son invitation, sans nous faire prier. Le dynamisme des départs! Aujourd'hui, nous quittons Tivaouane pour Dakar. Depuis mon arrivée, je n'ai pas encore eu l'occasion de m'y rendre. Comme dans beaucoup de pays, la capitale a quelque chose d'unique. Elle porte ses images, ses odeurs, une atmosphère qui lui est particulière. Sa propre identité, elle s'en fait une fierté et se démarque ainsi du reste de ses provinces. Quel pays vais-je découvrir à Dakar ?

Voilà maintenant une heure que nous attendons tous les trois sur la place que le « sept-places » veuille bien se remplir. Nous sommes les premiers. Gilles est venu nous accompagner. Il veille sur nous comme notre frère aîné. Sa patience est infaillible, la nôtre commence à s'émousser. Il ne manque plus que deux personnes. Nous cherchons du regard des passagers potentiels et soupirons d'impatience à chaque faux espoir. Les derniers voyageurs arrivent enfin! Nous nous installons dans le break où des dizaines de mouches ont trouvé refuge pour la nuit. Une femme, avec son foulard, les invite prestement à quitter les sièges.

Avant de démarrer, le chauffeur fait le tour de la voiture pour vérifier la fermeture des portes. Celles de derrière ne peuvent se fermer que s'il leur assène des coups de pied violents. Quant à la portière du passager, il lui manque la poignée intérieure. Les garnitures des sièges sont éventrées, tout comme celles des portes. Photos de famille, chapelet, amulettes envahissent le tableau de bord et lui donnent un air de petit musée ambulant. La radio est à fond, les grésillements aussi. Le bruit du moteur diesel se met au diapason de cette cacophonie. Serrées, bousculées, Médina et moi nous soucions peu de l'inconfort : nous partons pour Dakar!

Dans les pays où routes et véhicules sont en mauvais état, les distances se calculent en heures, rarement en kilomètres. Les Européens veulent toujours savoir le nombre de kilomètres ou le temps que le trajet prendra. Pour les autochtones, l'exactitude de la distance ou la précision du temps ne signifient pas grand chose. L'incertitude fait partie du voyage. Il faut le temps d'arriver, c'est tout.

Sur la route de Tivaouane, qui mène à Dakar, nous croisons peu de voitures. Taxis collectifs et mini-bus pour la plupart. Le long de la voie, certains villageois ont installé leur récolte de mangues sur des étalages de fortune; d'autres exhibent des meubles fabriqués par leurs soins ou des paniers tressés. Dans les champs, âne ou cheval étique, guidé par de jeunes paysans, tire résolument le soc qui trace un sillon fantaisiste. Ces jeunes défient la sécheresse et s'obstinent à planter les graines d'une récolte improbable. Entre rien et un peu, il reste le choix du très peu. Ils y travaillent.

L'arrivée dans le tumulte de Dakar détone avec la quiétude villageoise de Tivaouane. Les gaz d'échappement de centaines de voitures, qui avancent au pas, entretiennent la chaleur déjà oppressante de ce milieu de matinée. Médina me fait signe de me préparer à descendre. Nous quittons le « sept-places » pour monter dans un mini-bus qui zigzague parmi ses jumeaux dans les rues cahoteuses.

Les passagers s'engouffrent par derrière. Un jeune les fait payer et annonce le prochain arrêt au chauffeur en frappant bruyamment sur la carrosserie avec une pièce. À chaque station, il attire des passagers en criant à tue-tête la prochaine destination. En équilibre sur la marche extérieure, il se tient à la portière arrière, qui bâille en permanence son état de délabrement avancé. D'un bras, il retient son corps qui se balance à moitié dans le vide. Un métier périlleux. Le gouvernement a récemment décidé de le supprimer. Hier, des jeunes en colère, qui craignent de voir leur « gagne mil » disparaître, ont bloqué les rues de Dakar pour manifester leur mécontentement. Entre un métier dangereux et l'absence de travail, le choix ne se pose pas.

À l'intérieur du mini-bus, l'entassement est indescriptible. Un vendeur propose des échantillons de parfum à ses voisins. Des femmes, encombrées de ballots énormes, essaient de se frayer un passage dans cet habitacle confiné à l'extrême. J'essaie de me rapetisser le plus possible sur mon siège en skaï qui me colle à la peau, avec mon sac à dos pressé sur mes genoux. La chaleur ne cesse d'en prendre à son aise et semble s'être réfugiée dans notre véhicule.

Dehors, sur les trottoirs, des marchands ambulants s'activent avec lenteur à leur besogne habituelle. À chaque arrêt, ils se précipitent sous nos fenêtres ouvertes et tendent à bout de bras des beignets, des bananes et des sachets en plastique remplis d'eau fraîche. Les enfants mendiants frappent contre les vitres leurs boîtes de conserve vides et espèrent une aumône rarissime.

Je comprends dans le regard de Médina que nous sommes arrivées à destination. Je quitte avec soulagement ce que je pense cauchemar, ce qu'ils appellent quotidien. Nous terminons à pied notre périple et arrivons, enfin, là où Moussa travaille. En voyant nos mines déconfites, il nous propose de nous reposer avant de nous faire visiter le centre. Il nous accompagne à notre chambre, la sienne, qui lui sert également de bureau. L'année scolaire, il partage son lit avec un jeune de Tivaouane qui fait ses études de lettres.

Rafraîchies, lavées de toute fatigue, nous sommes prêtes pour la visite. Moussa nous explique qu'auparavant, ces bâtiments étaient une ancienne caserne française. Après l'indépendance, elle a servi de léproserie. Aujourd'hui, elle est reconvertie en centre de rééducation. Il nous fait visiter les ateliers où des adolescents laissés-pour-compte réapprennent la vie.

« Aujourd'hui, c'est une journée spéciale. Tous les jeunes du centre préparent la fête qui va avoir lieu cette après-midi. »

Le centre possède un pensionnat qui accueille une quarantaine d'adolescents en rupture totale avec la société. Certains d'entre eux ont déjà passé plusieurs années en prison malgré leur très jeune âge.

Moussa nous parle du programme d'éducation alternative qu'il met en place avec ses collègues, depuis plusieurs années. Tous sont persuadés que les situations vécues par ces jeunes, leurs histoires de vie, peuvent devenir des situations éducatives.

Comme lors de chacune de nos discussions, un long dialogue s'installe :

« Comment y arrivez-vous dans la réalité ?

– Nous essayons de les initier à des ateliers d'apprentissage professionnel : menuiserie métallique, travail du bois, mécanique, maraîchage, peinture et jardinage. Ils participent également à des activités artistiques, comme le théâtre. Ils traitent des thèmes qui ont un lien avec leur vie. Tu auras l'occasion tout à l'heure de voir un de leurs spectacles. Je suis convaincu que le changement social et politique doit passer par une réappropriation de l'éducation. »

Moussa m'explique comment le centre compte soutenir l'épanouissement des jeunes grâce aux différentes activités. Il me parle des processus de socialisation, comme les acquisitions professionnelles, qui leur permettront d'accéder à l'autonomie, aux responsabilités.

« Ainsi, ils pourront acquérir une conscience active et citoyenne », continue-t-il.

Les semaines passées avec mes amis au village m'ont fait oublier à quel point le débit de paroles de Moussa est impressionnant et passionnant. C'est sûr, il agit, réfléchit à un autre rythme que celui que je viens de quitter. L'influence omniprésente des tempos de la capitale. Il continue à m'exposer ses projets avec la même fougue :

« Pour les enfants de la rue, c'est la même chose. La rue doit devenir un espace d'auto-apprentissage, nous devons la débarrasser de son image d'exclusion et de marginalité. Il faut valoriser les initiatives que les jeunes prennent quand ils expérimentent des stratégies de survie. »

Les éducateurs y parviennent en créant des ateliers où des savoirs sont échangés. Ils mettent en place des activités théâtrales liées à la vie de ces adolescents et les aident également à acheter du matériel pour les petits métiers.

La musique dans les haut-parleurs commence à envahir le centre et invite les spectateurs à se rendre vers l'espace à ciel ouvert, où la scène attend les jeunes artistes. Les chants traditionnels installent la fête et invitent les spectateurs à s'asseoir. Puis, c'est au tour des percussionnistes qui, par leurs résonances débridées, appellent et encouragent les danseurs à offrir l'impétuosité de leur jeunesse. Le spectacle se termine par une pièce de théâtre sur le sida, qu'ils ont écrite eux-mêmes. Ils jouent en wolof, je ne peux être attentive qu'aux émotions, aux intentions puisque les mots n'ont pas de sens pour moi. Ne pas comprendre une langue permet parfois de toucher à l'essentiel. Ainsi les silences, les gestes, les regards prennent une parole que l'on ignore souvent, tant les mots en imposent.

Ce soir, Moussa propose de nous amener au centre de Dakar. Il veut nous faire découvrir les quartiers où il est amené à travailler. Bien que nous soyons tout près de la place de l'Indépendance, les rues sont très mal éclairées. Une légère angoisse me saisit : cette peur récursive, cet imperceptible étouffement que je croise chaque fois que je me plonge dans une capitale.

La pénombre des rues cache des lambeaux de silhouettes qui déambulent. Des ombres installent leur carton pour passer la nuit sur le trottoir. Des corps épuisés, écœurés, s'engouffrent dans le sommeil pour y trouver l'oubli jusqu'à demain, seulement.

Faut-il que l'homme soit résigné et craintif pour accepter cette soumission, pour en oublier jusqu'à ses droits d'être humain. L'accoutumance. L'accoutumance à la soumission...

Je n'aurais jamais osé venir seule dans ces quartiers. Moussa est chez lui, il connaît toutes les rues, ne craint aucun recoin, et comprend l'histoire de ces personnes obligées de fuir leur terre asséchée depuis plus de trente ans. De jeunes prostituées provoquent leur misère aux bras de leurs clients :

« C'est aussi ça la sécheresse, me dit-il. L'exode rural les a conduites presque inévitablement à cette humiliation. »

Nous arrivons avenue Georges-Pompidou où les magasins de luxe s'acoquinent avec les terrasses des cafés.

Près de cette opulence, un mendiant aveugle chante son infortune dans la langue du Coran et remercie Allah de son infinie bonté.

Ile de mémoire

Les moustiques, la chaleur et la musique de la fête n'ont pas cessé de tourmenter notre première nuit à Dakar. Nous mettons du temps à réagir aux appels de Moussa qui frappe à la porte pour nous réveiller. Hier, il nous a annoncé notre visite sur l'île de Gorée. Médina est toute excitée à l'idée de découvrir cette inconnue.

Traverser le centre de Dakar de jour lui donne une autre réalité. De la fenêtre du taxi, je découvre la vaste place de l'Indépendance, oblongue et arrogante, où banques et compagnies aériennes se partagent opulence et fortunes. Nous longeons l'avenue Albert-Sarraut, ombragée de beaux arbres, qui descend vers la mer, à la pointe de Dakar. C'est là que nous prendrons le ferry qui mène à Gorée.

La circulation intense oblige notre chauffeur à prendre quelques risques. À un carrefour, le coup de sifflet d'un agent le somme de s'arrêter. Aucune infraction apparente ne semble avoir été commise. Il lui montre ses papiers. L'agent saisit son permis de conduire. Ils parlent en wolof. Le ton est loin d'être amical. L'homme en uniforme s'éloigne avec le permis dans la poche. Je crois comprendre ce qui vient de se passer. Médina et Moussa me le confirment. Le policier lui a dit qu'il lui rendra son permis à condition qu'il lui donne de l'argent. Mais comme j'étais dans la voiture, il lui a demandé de revenir après la course.

« Les fonctionnaires n'aiment pas trop être pris en flagrant-délit de corruption, surtout devant une blanche », ajoute Moussa.

En Afrique, certaines personnes parlent d'une culture de la corruption. La plupart du temps mal payés, les employés de l'Etat utilisent le service public à leur profit personnel. Ils ne cherchent pas à s'en cacher. Les entreprises occidentales ont largement contribué au développement de la corruption sur le continent africain.

Moussa m'explique qu'il s'est développé un savoir-faire populaire en ce qui concerne la corruption. D'aucuns estiment que c'est un élément indispensable à la survie en milieu post-colonial.

Je suis étonnée d'apprendre que personne ne cherche à le dénoncer.

« La corruption n'est presque jamais réprimandée judiciairement. En fait, plus elle se développe, plus elle s'installe dans nos habitudes de vie et plus il est difficile de s'en débarrasser », regrette Moussa.

Le taxi, que la confiscation du permis a mis de mauvaise humeur, nous fait rapidement payer la course qui lui servira à régler le policier. Il nous laisse devant l'imposante gare à l'architecture typiquement européenne. Tout près, de vieilles maisons coloniales aux vérandas à persiennes, enferment dans leurs cours intérieures les parfums de bougainvillées roses ou orangées.

Assises sur les trottoirs, des femmes au visage blessé par la pauvreté, étalent leurs trésors : bananes, mangues et mandarines. Leurs jeunes enfants, accroupis autour d'elles, sont à la hauteur des pots d'échappement et respirent leur poison quotidien. Des détritus amassés autour d'eux soulignent avec indécence leur détresse dans ce chaos citadin.

Nous prenons place sur le ferry et quittons la corniche de Dakar. La brise océane nous décrasse des bruits, de la pollution et nous rafraîchit pendant le quart-d'heure de la traversée. Étrange impression, soudain, d'être en vacances. La légèreté, la pureté de l'air coulent sur notre peau. Mais la chaleur nous rattrape à peine sommes-nous descendus du bateau.

Le dépaysement est total. Les couleurs, les différentes architectures me remémorent les îles méditerranéennes. La lumière aveuglante se joue des ocres, bleus, oranges et vermillons des façades et des peintures éclatantes des volets fermés en tuile.

Nous nous faufilons dans les ruelles où les maisons de l'île nous livrent leur histoire. Aucune construction neuve n'a été érigée depuis le début du XXe siècle. Certaines bâtisses traduisent la fonction militaire ou commerciale à laquelle elles étaient destinées les siècles précédents. Le mélange des styles et des nationalités est curieux, étrangement harmonieux.

Je suis frappée par le calme des rues et des venelles. Je réalise que les voitures n'ont pas droit de visite. Quel changement avec Dakar! Les ruelles sont tapissées de sable ou pavées de basalte extrait de l'île. Sur les places, baobabs et arbres à palabres apaisent de leur ombre des petits groupes bavardant ici et là. De jeunes bougainvillées décorent les murs de brique cuite, les plus vieilles n'hésitent pas à étirer leur branches ancestrales à travers les toits effondrés.

Depuis le déclin de l'activité portuaire de Gorée, à la fin du XIXe siècle, nombreuses sont les maisons qui tombent en ruine. Certaines ont été sauvées, mais les fonds manquent. En passant près d'un porche entrouvert, mes yeux indiscrets s'attardent quelques secondes au fond d'une cour. Le vert des feuilles répond par des frémissements au vert de la porte d'entrée, qu'humidité et soleil écaillent assidûment. J'inspire cette sensation de fraîcheur, de calme et de bien-être et l'abrite dans un coin de ma mémoire.

À quelques mètres de là, l'histoire nous rejoint. La Maison des Esclaves me ramène à la dure réalité de la cruauté de l'homme pour l'homme. La visite de ce lieu de transit pour esclaves est pour le moins troublante. Triés et traités comme du bétail, ils étaient enfermés dans cet endroit en attendant le prochain départ pour l'autre rive de l'Atlantique, pour les plantations des Amériques et des Caraïbes. Les ombres invisibles des dix millions de captifs habitent les cellules vides.

Portugais, Hollandais, Anglais et Français ont ainsi pendant près de trois siècles repris pour leur compte une coutume guerrière d'Afrique qui voulait que les tribus vaincues soient réduites en esclavage. Au nom de la civilisation, ils n'ont pas hésité à reproduire cette tradition avilissante.

« Commerce triangulaire... » Notre guide, Joseph, nous explique comment, sur le premier côté du triangle, les bateaux négriers ont voyagé, gorgés de Bois d'ébène. Comment cette main d'œuvre africaine a cultivé la canne à sucre, le tabac, a distillé le rhum. Et comment ces richesses ont vogué sur le deuxième côté du triangle, vers l'Europe, poussés par le vent portant du commerce, l'appât du gain et l'ignorance de la dignité humaine.

Joseph est une figure non seulement à Gorée, mais également aux États-Unis, où il donne régulièrement des conférences pour que l'histoire de son peuple ne s'oublie pas. Dans la Maison aux Esclaves, et plus précisément dans la cellule jadis réservée aux récalcitrants, notre guide évoque, avec une certain émotion dans la voix, la visite de Mandela. Le vieil homme avait demandé à s'y retirer quelques instants et en était ressorti en pleurs.

Lui qui pendant vingt-sept ans avait connu l'emprisonnement, l'humiliation. Peut-être pleurait-il sur la lenteur de l'évolution du monde ?

Nous continuons au hasard des ruelles notre promenade et montons vers le Fort. Dans la fraîcheur des soubassements, un artiste a installé sa galerie de sculpture. Toutes ses créations sont nées de matériaux de récupération. Moussa, séduit par ces objets inattendus, félicite le sculpteur et l'encourage chaleureusement.

Avant de quitter l'île, nous allons près du Musée de la Mer où l'on peut déguster de très bons poissons, nous informe Moussa. Je partage la joie de Médina de manger à la table d'un « vrai restaurant ». C'est avec regret que je quitte la quiétude et l'ambiance de Gorée. J'aurais aimé qu'elle m'accorde une nuit insulaire.

De retour à Dakar, Moussa nous accompagne à la gare routière afin de prendre le « sept-places » qui nous ramènera à Tivaouane. Nous nous quittons. Lui, ravi de nous avoir fait toucher du doigt et des yeux Dakar, Médina et moi, fourbues, enivrées de toutes ces découvertes, et néanmoins ravies de retourner vers le calme provincial de notre grand village.

Le plus grand marché ambulant qu'il m'ait été donné de voir s'offre à ma curiosité. L'attente du « sept-places » s'annonce longue, alors je prends le temps d'observer en détail l'adresse et l'ingénuité d'un jeune marchand. Son corps participe dans sa totalité à l'étalage de ses marchandises. Sur sa tête sont empilées une dizaine de serviettes éponge. Dans sa main droite, un nombre incalculable de lunettes de soleil. Dans sa main gauche, plusieurs cintres où se balance une garde-robe pour enfant. Sur ses épaules, des tissus soigneusement pliés. Dans ses yeux l'espoir d'attirer le regard d'un client qui lui renvoie souvent un intérêt distrait.

La kermesse

Je retrouve le village de Tivaouane avec le même plaisir que lorsque je reviens chez moi après une longue absence. Le retour vers les paysages connus, les amis souriants mettent fin à l'intervalle de l'éloignement, entre ce qui s'est découvert sur un rivage et ce qui se reconnaît sur l'autre. Les voisins animés par une curiosité gourmande nous demandent des nouvelles de la capitale, comme s'il s'agissait d'une personne :

« Comment va Dakar ? Est-elle toujours la même ? »

La grande majorité d'entre eux n'aura jamais l'occasion de la visiter. Dakar restera cette ville mythique et attirante, puisque certains y partent et n'en reviennent plus.

Les deux fils de Moussa font la course et se précipitent vers nous. Ils crient, dansent, sautent. J'aperçois la petite Khady, au fond de la cour, près de sa grand-mère.

Nous nous sourions de loin. Rokhaya, Nabou, Soda et Gilles s'approchent de nous. Ce dernier me murmure :

« Tu nous as manqué. »

Puis, il ajoute :

« Dès le premier jour... »

Nous ne sommes parties qu'un week-end. Mais à voir et à entendre leur joie, j'ai l'impression d'une longue séparation. L'accueil qu'ils me réservent me rappelle celui que me donnait ma famille lorsque je leur faisais défaut quelques semaines. Le bonheur qu'ils ont à me retrouver paraît être le même. Troublant... Nous nous connaissons depuis quelques semaines...

Nous racontons dans le détail nos visites à Dakar, notre escapade à l'île de Gorée. Les visages qui nous écoutent refont avec nous le périple dans leur tête. Ils redécouvrent dans nos descriptions celles que d'autres leur ont déjà données et pensent ainsi s'être rendus eux-mêmes à la capitale. Ils reconnaissent une ville qui leur est inconnue. Leur façon de voyager en restant sur place.

Pour fêter notre retour, Rokhaya a préparé mon repas préféré : du thiagris. Lait caillé mélangé à des raisins et de la noix de coco râpée. Un délice. Je la remercie touchée par tant de gentillesse :

« Bakha! Bakha trope! »

Nous nous regardons avec Médina qui me lance :

« Ah, les retours en famille! Quel plaisir! Surtout quand il y a du thiagris! »

Le soir, nous retrouvons l'intimité et le calme de

notre chambre loin des moustiques et des bruits de Dakar.

C'est le lendemain, en fin de matinée, que les résultats du brevet et du bac nous parviennent. Sur les trente élèves présentés au brevet, la moitié d'entre eux est reçue. Astou fait partie des élues. C'est le meilleur pourcentage de réussite dans les écoles de Tivaouane. En ce qui concerne le bac, sur quarante-deux élèves présentés, neuf ont réussi. Nous nous réjouissons de ces résultats, quand on connaît les conditions de travail des enseignants et des élèves. Ainsi, l'Acapes aura plus de chances d'être reconnue par les institutions alentour et les parents, qui sont d'ailleurs de plus en plus nombreux à vouloir y inscrire leurs enfants.

Les grandes vacances d'été ont commencé. Pour occuper les jeunes du quartier, j'ai proposé aux animateurs d'organiser une kermesse. Après en avoir discuté avec eux, je leur suggère d'être responsables de stands qu'ils animeront. Très vite se pose la question de l'organisation. Quel stand pouvons-nous mettre en place quand il n'y a aucun moyen ? Je fais appel à mes souvenirs de colonie de vacances. J'arrive à trouver sept animations. Ibra et Abdou me servent d'interprètes auprès des autres responsables. Puis, vient le moment de la mise en place des différentes activités. Nous nous laissons prendre au jeu. En leur expliquant les règles, je retrouve mes plaisirs d'enfance intacts et, à voir les rires de mes partenaires, j'imagine facilement la joie que les enfants partageront demain. Je demande à Ibra s'il a une idée du nombre de gamins qui participera à notre fête.

« Ils seront nombreux, me répond-il évasivement.

– C'est-à-dire ?

– Plus de deux cents. »

Le temps d'avaler ma salive et ma surprise, je lui demande s'il ne serait pas plus judicieux d'organiser cette kermesse pendant plusieurs jours. Nous nous mettons d'accord. Avant de nous quitter, Abdou me demande s'il est possible de faire venir un copain avec sa sono :

« Sans lui, pas d'ambiance », précise-t-il.

Nous nous donnons rendez-vous le lendemain, en fin d'après-midi, pour laisser à la chaleur le temps de s'essouffler.

Les enfants sont arrivés depuis longtemps déjà. Impatience, curiosité et excitation envahissent la grande place carrée. Chaque animateur est à son stand. Je m'approche d'Ibra et lui demande comment les responsables ont organisé les équipes pour aujourd'hui.

« Nous en avons parlé avec les enfants, ils trouvent que ce n'est pas juste que certains passent aujourd'hui et que les autres attendent demain. Aussi on a décidé de les faire venir en même temps. »

Ils sont tous là : deux-cent soixante!

Chaque animateur, responsable d'une trentaine de gamins, amène son groupe d'un stand à l'autre. Les gagnants se voient attribuer des tickets qui seront comptabilisés à la fin de la fête. La musique est à fond. Aïda croit me faire plaisir en passant régulièrement des chants français que les petits apprennent à la garderie. « Ah, vous dirais-je maman », « Il pleut, il pleut bergère ». Je suis touchée par son attention, mais les enfants ne s'y trompent pas : dès que la musique africaine revient, ils tapent dans leurs mains, frappent en mesure le sable de leurs pieds nus, déhanchent leur bassin en éclatant de rire et chantent à tue-tête. Des éclats de bonheur reflètent la lumière sur tous les visages.

Pendant plus de deux heures, ils s'animent, s'enflamment et rebondissent d'une activité à l'autre. Les matches de foot sont une des rares activités qui apportent un petit changement dans leur vie tranquille. Alors cette kermesse aux jeux inconnus, donne à leur désœuvrement une saveur inestimable.

L'arrivée de la nuit met, progressivement, un terme à la kermesse. Ibra et Abdou me demandent de récompenser les équipes gagnantes. Tout à coup, c'est une ruée déchaînée vers la table où sont posés les lots. Bousculades, coups de pieds et d'épaules font perdre patience à certains animateurs. Les brûlures des coups de brindilles qu'ils imposent sur les jeunes cuisses, calment rapidement cette turbulence effrénée. La distribution des récompenses commence. Selon leur âge, ils reçoivent des paquets de cacahuètes, des cahiers ou des stylos.

Ils s'en retournent par petits groupes, leurs rires laissent derrière eux les traces de leur exaltation, si intense qu'elle restera inaltérable dans leur mémoire.

Au loin, une calèche ramène chez eux les deux jeunes et leur sono.

Le silence de la nuit immobilise la place et la fête, qui a déjà pris une couleur nostalgique.

Voyance

C'est le lendemain matin que Médina me parle d'une voyante qui habite tout près de la maison et me demande si j'aimerais l'accompagner avec Rokhaya, pour lui rendre visite :

« Elle est extraordinaire, affirme-t-elle. Elle peut deviner des choses incroyables sur toi, sans que tu ne lui dises rien. »

En France, j'ai toujours refusé de me prêter à ces pratiques de voyance mais ici la curiosité l'emporte. Je n'hésite pas à me joindre à elles deux et les suis sur le chemin de l'irrationnel. Médina me conseille et m'explique, avec un grand sérieux, la démarche que je dois suivre :

« Avant de rentrer chez elle, tu dois penser très fort à quelque chose que tu désires profondément. Tu ne lui diras pas, mais tu verras, elle devinera. Il faut préparer une pièce d'un franc. »

Je me laisse entraîner par l'attrait mystérieux de cette nouvelle expérience et me concentre consciencieusement sur mon souhait. Debout devant le pas de la porte, nous gardons le silence. Puis c'est notre tour. Médina me demande de la suivre et nous entrons toutes les trois en même temps. Assise à même le sol, une vieille femme nous regarde prendre place dans la pénombre. Nous la saluons avec égard et nous asseyons près d'elle. Elle balade dans sa main frêle six coquillages blancs. Je cherche dans son regard un éclat particulier, celui de la clairvoyance. La semi-obscurité n'en révèle aucun. Seuls les traits burinés d'un visage impassible s'entrevoient dans le flou de l'ombre opaque.

Médina me demande de lui donner ma pièce.

J'obéis et observe les mains ridées qui font tinter, d'un geste preste et familier, les coquillages contre la pièce. Elle les lance d'un jet rapide et déterminé, puis observe leur position. Subjuguée, je la regarde lire silencieusement le message invisible que les cônes lui révèlent. Elle commence à parler. Médina traduit simultanément les secrets qu'elle est censée connaître sur moi :

« Elle dit que tu es divorcée. »

J'acquiesce.

« Elle dit que tu as un enfant. »

A partir de là, tout ce qu'elle affirmera sera faux, mais je ne la contredis pas. Elle me parle d'un homme qui me veut du mal, qui veut me prendre mes bijoux. Puis au bout de quelques affirmations erronées, elle demande à

Médina si je suis prête à payer un peu plus afin de me débarrasser des mauvais esprits.

Je ne peux feindre plus longtemps et réponds que je ne crois pas aux esprits. Ma révélation met un terme définitif aux siennes.

C'est au tour de Rokhaya et Médina. Leur attention et leurs acquiescements encouragent les prophéties de la voyante. D'un ton lancinant et convaincant, elle leur livre dans un flot ininterrompu des visions que j'imagine troublantes, à voir l'expression de mes deux compagnes. Nous quittons la pièce sombre et humide et saluons la vieille femme. Elles ressortent émues de cette séance. Elles m'expliquent, sans trop de détails, la conduite que la voyante leur a demandé d'adopter les jours suivants pour faire face aux maladies, aux médisances des voisins.

D'aucuns pensent qu'il est toujours facile de jouer sur les peurs, les doutes et les émotions. La voyante elle-même, convaincue de ses pouvoirs, n'est-elle pas à la merci de ses propres croyances ? La peur constitue souvent le terrain idéal sur lequel prennent racine superstitions et certitudes. Les esprits, tout comme Dieu, existent si on est convaincu de leur existence. Ils disparaissent dès que l'on se persuade du contraire.

De retour à la maison, Khady, Nabou et Soda me sollicitent silencieusement du regard pour nous adonner à notre jeu préféré. Chacune attend son tour pour venir taper le plus rapidement possible dans mes paumes en observant la figure imposée. Khady la maîtrise de mieux en mieux. Il est des enfants que l'on sent tout de suite plus vifs que les autres. Leurs regards, leurs gestes participent de cette vivacité et mettent en évidence une intelligence indéniable. Comme je regrette qu'elle ne puisse pas aller à l'école. J'en parle à Gilles qui me répond :

« Elle doit rester avec sa grand-mère, sinon celle-ci se retrouverait seule. »

Je garde pour moi l'idée qui me vient à l'esprit. Prendre en charge les études de Khady. Mais on ne s'impose pas ainsi dans la vie des autres, même avec les meilleures intentions.

En route vers le sud

C'est demain que notre départ pour la Casamance est prévu. Un des frères de Rokhaya s'est rendu récemment dans cette région du sud. Gilles et moi l'écoutons attentivement. Il nous donne les conseils de celui qui a l'expérience de la route et ajoute au détour d'une phrase que sa famille n'apprécie guère son instabilité voyageuse :

« Ils ne me comprennent pas. Si je ne bouge pas, je tombe malade! »

Pour l'aller, il nous suggère de prendre le bateau, qui assure la traversée de Dakar à Ziguinchor, car, en allant vers le sud nous sommes dans le sens du courant. Connaissant mon extrême sensibilité au moindre mouvement des vagues, je me fie entièrement à ses recommandations. Pour le retour, la route nous permettra de découvrir le pays en passant par la Gambie.

L'attente pour le « sept-places » qui nous mène à la capitale est beaucoup moins longue que lors de notre première échappée avec Médina. Le flegme et la patience de Gilles doivent nous porter chance. Notre arrivée matinale à Dakar nous permet de donner au temps le goût de la flânerie. Avant le départ, nous achetons de quoi boire et manger sur le bateau. Je ne résiste pas à l'envie d'une boisson glacée. Le luxe de la capitale. La chaleur nourrit des fantasmes stupides. Depuis quelques jours, je rêve de tenir dans ma main un bouteille où des gouttes fraîches perleraient le long du goulot. Nous dégustons lentement ce plaisir glacial.

Tout près de nous, un jeune, assis dans un fauteuil roulant, tient fièrement son gagne-pain sur l'épaule : une radio stéréo. Pour un franc, il propose aux passants, qui veulent se reposer, la fréquence de leur choix. La pauvreté rend imaginatif. Des jeunes vendeurs de journaux s'assoient un moment près de lui, sur le banc, et discutent des nouvelles du quartier.

Pour atteindre l'embarcadère, nous longeons les quais d'une longueur interminable, où se suivent d'immenses usines. Nous passons près d'une conserverie de poisson. De l'extérieur, les voix tonitruantes des machines appellent les ouvriers. Des femmes, pour la plupart, font la queue devant le portail. Ici, on embauche au jour le jour, selon les arrivages, selon les besoins. Elles ignorent encore qui sera engagé.

Nous arrivons devant la compagnie maritime qui assure la traversée. Le portail est fermé. La pancarte nous indique clairement que les départs ont lieu le lundi, le jeudi et le samedi. Nous sommes mercredi!

« Ce n'est pas grave, me dit Gilles. J'ai une sœur qui habite une grande maison dans la banlieue. Elle sera contente de nous héberger. »

Nous prenons un car-rapide, bondé comme à l'habitude. Malgré les fenêtres ouvertes, l'air qui y règne est particulièrement étouffant. Au début, je l'attribue à la chaleur. Je comprends très vite que le pot d'échappement est percé. En effet, il déverse avec largesse ses gaz qui s'échappent par les trous du plancher. Sensation d'asphyxie. Je fais signe à Gilles de descendre au prochain arrêt. Nous toussons un bon coup avant de remonter dans un autre mini-bus.

La maison de la sœur de Gilles est surprenante. Grande bâtisse, elle s'élève sur trois niveaux. Elle est entourée d'un mur qui impose un paravent à la curiosité des voisins. Nous sommes bien accueillis, malgré notre arrivée fortuite. L'intérieur respire confort, goût et argent. La fraîcheur de la maison incite au repos, au bien-être.

Nous nous installons sur la terrasse du dernier étage. L'ombre et le vent, qui s'y croisent, ne suffisent pas à atténuer l'insoutenable présence de la chaleur. L'immobilité est de rigueur.

En fin d'après-midi, je me retrouve dans la cour avec les jeunes enfants de la maison. Assis sur une natte, nous échangeons les mots wolof et français que nous avons en commun. Nous partageons surtout les rires. Près de nous, la sœur de Gilles a installé son tapis de prière, elle commence ses supplications.

Notre dîner est servi dans une pièce à part, mais les enfants curieux nous rejoignent rapidement. Tard dans la soirée, Gilles me demande de venir saluer son beau-frère qui revient du travail. Nous le remercions pour son hospitalité. Il nous reçoit avec une politesse distante dans un immense salon où trois canapés envahissent l'espace richement décoré. Je me sens mal à l'aise.

C'est sur la terrasse que nous dormirons. Ici un semblant de fraîcheur s'est installé avec la tombée de la nuit. Gilles a réussi à disposer la moustiquaire autour de mon matelas. Son attention discrète me touche, sa présence amicale m'apaise. Jamais une plainte, un énervement, un moment d'exaspération. La vie africaine coule dans ses veines, calmement, même si parfois il en espérerait une autre. En bon musulman, il s'adresse à Allah cinq fois par jour. Sa prière étouffe ses sursauts de colère, panse ses douleurs morales jusqu'à la prochaine. Il reste peu de temps pour la révolte entre chacune d'elles... L'heure est au repos, sous la voûte étoilée.

Après le petit déjeuner, la sœur de Gilles vient nous souhaiter bon voyage. Cette halte imprévue me laisse le goût d'un passage furtif, presque clandestin. Nous repartons vers le centre de Dakar où une pluie diluvienne nous surprend.

Cette fois, nous prenons un taxi pour rejoindre l'embarcadère. Nous montons à bord d'une navette luxueuse : moquette, air conditionné. L'air frais de la climatisation, le confort des sièges, la gentillesse du personnel, tout laisse prévoir une traversée des plus agréables. Les hôtesses proposent des cachets pour le mal de mer. Je les trouve particulièrement prévenantes.

Les turbines se mettent en route. Des nuages gris, puis noirs se dessinent rapidement à bâbord. Une pluie inquiétante frappe violemment les fenêtres. Cinq minutes plus tard, je monte sur le pont. Le mal de mer m'assaille immédiatement. Il faut six heures au bateau pour couvrir les deux-cent cinquante kilomètres qui séparent Dakar de la Casamance. Je tiendrai ma tête au-dessus de la poche pour voyageur sensible au mal de mer pendant cinq heures quarante-cinq!

Lorsque nous arrivons à Ziguinchor, l'équipage reconnaît avoir rarement fait une traversée aussi mauvaise. À la sortie du bateau, je m'assois à l'ombre d'un acacia pour retrouver des couleurs. Ma pâleur inquiète Gilles, mais cinq minutes de repos suffisent à oublier ce petit enfer marin.

De la ville, je découvre les avenues bordées de hauts cocotiers et les maisons coloniales en état de délabrement plus ou moins avancé. Elles témoignent d'un passé glorieux. Ce chef-lieu de la Casamance fut un comptoir fortifié et devint au début du XXe siècle un centre commercial prospère. Aujourd'hui encore, il a gardé cette vocation et de nombreux marchands viennent de Guinée-Bissau, du nord du Sénégal, de Mauritanie ou de Gambie pour proposer leurs paniers de poissons, de légumes et de fruits. De nombreuses ethnies se partagent la région : les Diolas, les Mandingues, les Toucouleurs. De nos jours, les activités du port se limitent à la manutention des produits agricoles, au chargement et au déchargement des navires en escale.

Nous nous rendons à pied chez le frère de Gilles, Mbayé, qui nous hébergera pour la nuit. La maison où nous sommes accueillis n'a rien de comparable avec celle où nous étions la veille.

Est-ce le contraste, le retour vers la pauvreté ou les deux mélangés qui font que ce soir, pour la première fois depuis mon arrivée, j'accepte difficilement ces conditions misérables ? Je n'arrive pas à en faire abstraction, à me dire que ce n'est pas important. Au contraire, mes yeux s'attardent sur la crasse des murs. La chaleur accablante m'exaspère. Je ne supporte plus les enfants qui ne cessent de passer leur tête par la fenêtre pour voir la « toubab ».

Soudain, tout bascule. L'imprévisible pesanteur du chagrin. La souffrance amoureuse que j'avais laissée en France vient de me rattraper. Je me retrouve face à elle comme si elle ne m'avait jamais quittée. Je m'écroule sur mon lit.

À ce moment, Gilles frappe doucement à la porte. Il ne me laisse pas le temps de nourrir ma peine et m'éloigne, sans le savoir, d'une mélancolie redoutée.

« Je t'apporte un ventilateur. »

Il est toujours présent : son attention et sa gentillesse sont d'une constance que j'ai rarement eu l'occasion de rencontrer.

« Si tu veux venir prendre le thé. Mon frère est arrivé. »

Je le suis. Mbayé est l'aîné de la famille. Ingénieur agronome, il a formé Gilles à l'informatique. Les deux frères sont contents de se retrouver. Ils n'ont guère l'occasion de se voir, surtout ici en Casamance. J'écoute Mbayé avec intérêt me parler de l'association IDA (Informatique et développement en Afrique) qu'il a créée il y a sept ans. Ce programme de développement au Sénégal a pour bénéficiaires aussi bien des agriculteurs, des éleveurs, des pêcheurs que des jeunes et des groupements féminins.

C'est une équipe d'une vingtaine de personnes – ingénieurs agronomes, comptables, informaticiens – qui gère cette association. Leurs programmes consistent à développer des exploitations agricoles dans quinze villages en touchant à des domaines aussi variés que la vulgarisation agricole, le crédit et l'habitat rural, la santé, l'éducation, des formations en informatique ainsi que la gestion des ressources naturelles.

Tout en me parlant, Mbayé me montre une étude qu'il est en train de faire pour aider une exploitation agricole à trouver des financements. Le sérieux, la compétence et l'enthousiasme avec lesquels il me parle m'impressionnent.

Au fur et à mesure que je l'écoute, je me revois à Tivaouane entendant Moussa se demander où étaient les ingénieurs sénégalais. Ils sont là, mais leur travail reste méconnu de ceux qui sont à la recherche de leurs compétences. L'ignorance des ressources existantes, la difficulté de communication ne seraient-elles pas ces entraves qui immobilisent un pays en voie de développement ? Ne le maintiennent-elles pas dans une précarité permanente ?

Dans la soirée, je discute avec Gilles de l'association de son frère. Il me confie discrètement que son programme de développement rural est très bien, mais le problème est l'absence de financement pour payer les membres de l'association. Il a été, lui-même, formé à l'informatique. Malheureusement il n'a pas pu trouver de travail ensuite. C'est pour ça qu'il s'est rendu à Tivaouane, pour travailler pour Aupej.

La journée se termine.

Je m'allonge sur mon lit. Juste au-dessus de ma tête, la toiture laisse apparaître un petit coin de ciel. Espérons qu'il ne pleuve pas...

Casamance, émeraude du Sénégal

Gilles et sa nièce, Fatou, me proposent d'aller visiter l'île aux Oiseaux. Il nous faut peu de temps pour trouver un piroguier et son embarcation, mais lui en prend davantage pour ramener l'essence et installer le moteur. À la terrasse d'un café en tôle ondulée, un Européen, au langage vulgaire, négocie avec un autochtone le prix d'une cargaison de crevettes. Il parle haut et fort et a la bêtise de croire à une possible connivence de ma part. Je ne réponds pas à ses sous-entendus racistes. Mon visage impassible renvoie à ses sourires grossiers un désaccord froid et silencieux. Il a compris, baisse le ton et me tourne le dos.

La pirogue file, déterminée, sur le large fleuve Casamance dont le lit s'élargit d'une façon telle qu'il lui donne les allures d'un lac. Les deux cousins sont intarissables à l'arrière, ils ne se sont pas vus depuis si longtemps. Je me suis installée à la proue de la barque effilée. Je m'isole et plonge corps et pensées dans ce paysage vierge de toute présence humaine. Pour la première fois, je savoure un instant d'isolement et m'abstrais dans le calme de l'eau, l'effleurement de la brise. Le temps s'efface, la nature prend possession de tout l'espace.

La pirogue frôle l'île où les racines des palétuviers imposent leur présence noueuses et enchevêtrées. Enchâssés dans les mangroves, les arbres portent les nids de hérons, de spatules et d'outardes. Ces oiseaux par centaines ont investi l'île entièrement et ne reconnaissent à l'homme qu'un droit de visite occasionnel. Le bruit du moteur au ralenti ne les effraie aucunement. Indifférents, ils tolèrent l'indiscrétion de notre approche.

Nous revenons vers Ziguinchor. Je quitte avec regret cette pause au cœur de la nature et retourne vers mes amis, dont j'avais fait abstraction afin de me retrouver dans un moment de solitude.

Fatou veut nous faire visiter le centre de l'Alliance française entièrement construit à partir de matériaux de récupération. L'illusion d'un bâtiment neuf est parfaite. Seules deux couleurs se partagent la décoration des murs : le noir et le jaune, teintes symboliques de certaines tribus de la région. L'entrée du centre reproduit, grandeur nature, une case à impluvium. Cette habitation particulière a un toit en forme d'anneau et reste ouvert sur le ciel. En cas de pluie, l'eau coule le long de ses parois et est recueillie dans une citerne, en prévision de la saison sèche. Ces cases à impluvium sont particulièrement célèbres à Enampore. Uniques en Afrique, elles peuvent accueillir cinquante personnes avec bétail, volailles, chèvres et réserve de grains.

Les salles de classe, l'auditorium, la bibliothèque, tout incite à travailler dans ce décor extraordinaire. Malheureusement, il est vide, les étudiants sont en vacances. Je m'imagine quelques secondes enseigner dans cette école. Fatou me ramène vite à la réalité : le centre va fermer, nous devons partir.

Sur le chemin du retour, nous passons par le centre artisanal. Je découvre les sculptures, bijoux, tissus, djembés qui y sont exposés. Mon regard s'attarde sur une statuette diola. Dans la seconde qui suit, un jeune vendeur au talent indéniable me raconte l'histoire de cette sculpture énigmatique, vieux sage africain en bois d'ébène. Je l'écoute, attentive à ses explications, embarrassée par le rôle de cliente potentielle que je représente à ses yeux. Gilles écourte la visite et mon malaise :

« Nous ne pouvons pas rester très longtemps, tu sais. Nous quittons Ziguinchor cette après-midi parce que j'aimerais arriver à Bignona avant la nuit. »

C'est dans ce village que sa mère habite. Il ne l'a pas prévenue de sa visite et se réjouit à l'avance de sa surprise.

Avant de prendre le bateau à Dakar, je lui avais demandé ce que je pouvais offrir à sa mère. Après plusieurs hésitations, il m'avait répondu :

« En fait, c'est d'argent dont elle a le plus besoin. Mon départ de Tivaouane a été si précipité que je n'ai pas eu le temps d'économiser. »

Avec deux-cents francs par mois, je me demande comment il peut y arriver. Il m'explique que ses frères, ses sœurs et lui-même se relaient pour lui envoyer, aussi régulièrement que possible, le peu d'argent qui lui permet de survivre.

À peine quarante kilomètres séparent Ziguinchor de Bignona. Bordée par de hautes futaies, la route suit les rizières vertes où s'incrustent, autour d'un cercle, des cases aux toits coniques. L'abondance des verts, des palmiers à huile et dattiers, contribue à l'appellation de cette région : le grenier du Sénégal. Riz, mil, maïs, arachides poussent généreusement et fournissent aux habitants l'essentiel de leur subsistance. Quel contraste avec le nord!

Arrivés à Bignona, nous nous rendons directement chez Omar, où nous serons hébergés pour deux nuits. La maison est vide. Nous déposons nos sacs à dos et nous nous rendons à pied chez la mère de Gilles. Deux ans qu'ils ne se sont pas vus. J'anticipe la joie de leurs retrouvailles. Nous traversons les quartiers de son enfance, en passant devant l'école, Gilles me confie :

« J'avais un maître très dur. J'étais bon élève, mais j'avais un problème aux yeux. J'y voyais très mal. Alors quand je n'arrivais pas à lire correctement, il me frappait. J'ai quand même pu entrer au collège. Mon père voulait absolument que je continue mes études. Il sentait que j'avais des facilités. Je suis donc parti à Dakar au lycée. Mais j'ai refusé l'argent qu'il voulait me donner pour suivre les cours. Je ne voulais pas que cet argent manque à mes huit frères et sœurs. Aussi, ai-je travaillé en usine pour me payer l'école. C'était difficile, tu t'en doutes. Au milieu de l'année de ma terminale, j'ai dû arrêter les cours. J'étais tellement triste. »

Nous arrivons dans la ruelle où Gilles me montre sa maison natale. Dans la petite cour, sa belle-sœur nous souhaite le bonjour, ses enfants sourient leur embarras. Sa mère, aux traits modelés par le temps, les douleurs et les privations, sort de la maison familiale. Les paroles sont banales, la surprise dominée. Je suis interloquée par la discrétion de leur émotion. Nous restons à peine une heure. Gilles remet l'argent à sa mère. Je suis gênée que cet échange se passe devant moi. La vieille femme me remercie d'une voix faible. L'au-revoir est rapide, presque précipité.

« Tu sais, elle était très contente. Ma visite lui a fait beaucoup plaisir. »

Mes yeux d'Européenne n'ont rien vu. Il peut passer tant d'émotion dans la retenue que le débordement masque souvent.

Gilles, d'habitude si discret, me parle sans retenue de son enfance. Les images des rues, des jardins, des arbres, tout le village participe aux retrouvailles de ses souvenirs occultés depuis trop longtemps :

« Mon père est mort il y a quelques années. Pendant la colonisation, il avait une petite épicerie. Nous n'étions pas pauvres. Je me souviens quand nous partions en brousse pour la journée avec mes copains. Nous chassions des lapins, des écureuils, des perdrix et des pigeons. Nous étions adroits avec nos lance-pierres. Nous mangions notre gibier sur place. Nous étions heureux. La vie était moins difficile qu'aujourd'hui. »

Arrivés à la maison de nos hôtes, Omar, sa femme Nabou et leur petite fille nous accueillent. Les nattes sont étendues sur le sable dans la cour fermée. Omar est professeur au lycée du village. Il nous parle des effectifs pléthoriques, jusqu'à quatre-vingt-dix élèves par classe :

« Cette année j'ai pu faire du bon travail, je n'en avais que soixante. »

Il avoue qu'il est obligé de pratiquer une certaine sélection s'il veut arriver à quelques résultats. Il s'inquiète du nombre croissant de lycéens qui quittent l'école pour rejoindre les indépendantistes dans la brousse.

La sonnerie du téléphone retentit si faiblement que c'est à peine si nous l'entendons. Il m'explique qu'il vaut mieux rester discret :

« Moins les voisins connaissent tes richesses, mieux c'est. Cela crée souvent des jalousies malsaines. C'est absurde. La peur de l'envie nous maintient dans la précarité. »

Notre discussion se poursuit tard dans la nuit. Nous allons nous coucher dans une pièce qui sert de remise. Le réfrigérateur souligne bruyamment son état de vétusté, la chaleur emmagasinée pendant la journée refuse de céder la place à la fraîcheur nocturne. Je vais ouvrir la porte, un chien en profite pour élire domicile sur mon lit. Le mouvement brutal et peu hospitalier de ma jambe lui fait comprendre qu'il n'est vraiment pas le bienvenu. Il persiste. Moi aussi.

Tôt le lendemain matin, nous attendons sur la place centrale de Bignona que le mini-bus pour Kafoutine se remplisse. Je n'arrive toujours pas à me débarrasser de mon habitude européenne et pose inévitablement la question concernant la durée et la distance du voyage. Comme toujours la réponse reste floue. « C'est assez loin », me répond Gilles. Peu importe, puisque nous avons toute la journée. Après deux heures et demie d'attente, notre véhicule se met en route.

Dans les rizières, les femmes piquent et repiquent les pousses fragiles. Mes yeux ne sont toujours pas habitués à cette profusion de vert. La route devient de plus en plus mauvaise. Le macadam manque par plaques entières. Pour éviter les nids de poules, le chauffeur préfère rouler sur le bas côté. Piste sauvage et parallèle.

Tout le long du voyage, les passagers descendent du mini-bus et rejoignent à pied leur village. Les femmes, nombreuses, reviennent à la tribu alourdies de charges volumineuses et riches des maigres achats faits à Bignona. Les soubresauts du véhicule liés à l'étonnement de la découverte me gardent éveillée. Derrière moi, mon voisin s'endort profondément et pose son bras sur mon cou. L'ignorance dans lequel nous plonge le sommeil autorise l'impensable en état d'éveil. J'aime le franchissement involontaire de ces limites absurdes. Gilles veille. Il déplace le bras de l'homme, qui dans son sommeil profond, oublie son débordement inconscient.

Je me sens dans un état second, endormie les yeux ouverts. Je comprends pourquoi à notre arrivée à Kafoutine : nous avons été bringuebalés pendant quatre heures.

Ce petit village de bord de mer abrite quelques campements. Ils permettent aux touristes « les plus audacieux », disent certains, d'être logés et nourris chez l'habitant. Certains campements sont tenus par des Européens. Nous traversons le village. À l'heure à laquelle nous arrivons, les ruelles sont désertées. Les habitants dorment à l'ombre de leur maison ou terminent leur déjeuner. Nous nous approchons de la plage et repérons un restaurant à l'ombre de flamboyants séduisants. Nous sommes les seuls clients. On nous demande d'attendre un moment : le cuisinier est parti chercher du pain. C'est avec plaisir que nous dégustons une omelette aux oignons.

Nous voulons aller à Abéné. Pas question de prendre le bus. Le restaurateur nous assure que nous pouvons rejoindre le village par la plage.

Une fois de plus je m'obstine à vouloir connaître la distance qui nous sépare d'Abéné. J'ai la réponse :

« Une heure, deux heures. Ça dépend comment vous marchez. »

Nous prenons donc le temps de nous y rendre à pied.

Nous longeons la plage. Parfois, nos pieds nus caressent la fraîcheur salée de l'océan. L'étendue de sable qui s'offre à nous est d'autant plus immense qu'elle est vierge de toute présence. Cependant, nos yeux s'accrochent, à l'horizon, à une masse informe et sombre. Au fur et à mesure que nous nous en approchons, nous devinons l'ossature d'un immense cargo rouillé et dévoré par le sel. La mer, minutieuse, lèche sa proie de fer et l'avale imperceptiblement et inlassablement jusqu'à sa disparition totale. J'observe quelques instants ce spectacle où la lenteur du temps s'allie à l'obstination des vagues.

De loin, nous apercevons trois bateaux qui reviennent de la pêche. Longues pirogues fines, elles attirent la présence de tous les villageois. Au fur et à mesure de notre approche, nous découvrons la course effrénée d'une dizaine de jeunes. Ils entrent, jusqu'à mi-corps dans la mer, avec des paniers d'osier sur la tête. Du bateau, les pêcheurs y déversent des wass, des yaboys et des obas par kilos. Les cuisses musclées des jeunes gens repoussent la mer qui ne va pas tarder à s'éloigner avec la marée basse. Les charges qui alourdissent leurs corps n'entament en rien leur rythme ni leur vivacité. La tombée de la nuit menaçante explique leur entêtement à courir aussi vite pour décharger les pirogues. Les enfants les encouragent de leurs mots, les vieux du regard. Je devine dans leurs yeux que cette vitalité les ramène à celle de leur jeunesse et qui s'est égarée au fil des ans.

Les poissons déversés du haut des paniers coulent comme une eau et grossissent rapidement un tas de plusieurs mètres. Leurs corps luisants frétillent et cherchent désespérément la mer qu'ils ne retrouveront plus.

Nous quittons ce spectacle inespéré et rejoignons la route qui mène à l'arrêt des taxis-brousse. Seule une vingtaine de kilomètres séparent Abéné de Kafoutine, mais ce voyage me paraîtra interminable. Le chauffeur conduit à une vitesse défiant sans arrêt l'irréparable. Le moindre écart des enfants près du bord de la route pourrait leur être fatal. Les poules, courageuses ou inconscientes, manquent de se faire tuer quand elles traversent la route. Les rares vélomoteurs doivent sentir la vitesse de notre véhicule leur passer dans les cheveux. Quand d'autres voitures nous croisent ou nous doublent, seuls quelques petits centimètres nous séparent de leur carrosserie. Je ferme plusieurs fois les yeux redoutant l'accident. Nous quittons cette voiture de tous les dangers et je ne peux me retenir d'exprimer ma peur et ma colère à Gilles. Étonné, il me répond :

« Je n'ai pas trouvé qu'il conduisait si vite. »

J'appréhende les trois heures de route que nous devons faire pour revenir à Bignona dans la nuit. Je me rassure en me disant que l'obscurité efface les dangers, elle les rend invisibles.

Notre court séjour en Casamance prend fin. Je l'abandonne avec nostalgie. Elle m'a offert un autre visage du Sénégal. J'aurais aimé flâner sur sa côte maritime, Camargue africaine, pour découvrir le royaume de la vie animale, pour m'attarder au détour des tribus riveraines du fleuve et les écouter me dire l'origine de leur désir d'indépendance.

Retour vers Tivaouane

Nous nous préparons à remonter vers Dakar par la transgambienne. À huit heures du matin, l'attente pour remplir un « sept-places » ne devrait pas être trop longue. Nos co-passagers ne tardent pas à se joindre à nous : un Sénégalais et trois Espagnols. Étrange sensation de me retrouver avec des Européens. Mélange de joie et d'appréhension. Leur français est égal à mon niveau d'espagnol. Très faible. Nous communiquons rapidement en anglais. Maria est en vacances pour quelques jours dans la région. Architecte, elle travaille pour Médecins du Monde en Mauritanie. Elle participe à la construction d'une école. Elle est tombée amoureuse du désert et préfère sa nudité à l'exubérance verdoyante de la Casamance, me dit-elle. Ses compagnons sont étudiants.

Tous les vingt ou trente kilomètres, nous sommes

arrêtés par des militaires, armes attachées à la ceinture ou pendues à l'épaule :

« Papiers, s'il-vous-plaît. »

La plupart d'entre eux nous font descendre et remonter aussitôt sans vérifier nos passeports. Je demande à Gilles la raison de ces nombreux contrôles :

« C'est à cause des indépendantistes. Ils veulent vérifier s'il n'y a pas de trafic d'armes. »

La Casamance est séparée du Sénégal du nord par la Gambie. Cette enclave artificielle imposée par l'époque coloniale, fut la dernière colonie britannique d'Afrique de l'Ouest. Gilles me prévient :

« Je suis à peu près sûr que les douaniers vont te demander de l'argent pour passer. Je vais leur dire que tu es avec moi. Il ne devrait pas y avoir de problème. »

Dix kilomètres avant la frontière, les douaniers contrôlent nos passeports et nous laissent continuer. À la frontière gambienne, les policiers refusent de nous laisser passer. En effet, nous n'avions pas vérifié que nos passeports n'avaient pas été tamponnés.

Notre colère et notre étonnement passés, ils nous proposent de leur donner à chacun cinquante francs pour nous éviter le retour à la douane. Nous refusons. Notre chauffeur nous ramène au poste. Cette fois nous n'omettons pas de contrôler le tampon et retournons à la frontière. Les deux Espagnols sont très mécontents. Le plus petit, au bandeau rouge sur le front n'hésite pas à exprimer son agacement profond dans un français très approximatif. Notre chauffeur l'écoute silencieux, imperturbable.

Nous faisons une interminable queue pour prendre place à bord du bac qui nous conduira sur l'autre rive à Farafenni. La courte traversée du fleuve calme est une parenthèse reposante. Elle contraste avec l'inconfort chaotique des pistes. Le peu qu'il m'est donné de voir de la campagne gambienne me renvoie l'image d'un pays aussi démuni que son voisin le Sénégal. Une chaude lumière éclaire une douceur de vie apparente. Les villageois vaquent paisiblement à leurs occupations et allègent, en souriant, les petites lourdeurs de leur quotidien d'infortune.

Au fil des kilomètres, la verdure du sud s'estompe et cède l'espace aux grandes étendues de sable où de rares baobabs, une végétation éparse et une brousse épineuse épousent le décor.

Nous nous arrêtons à Kaolack pour faire le plein. Je profite de l'escale pour me dégourdir les jambes et cède à la tentation à laquelle j'avais jusqu'à présent résisté : une boisson sucrée, servie glacée, dans un sachet plastique.

Dans la station essence, deux hommes étalent sur le sol des cartons, tapis de prière improvisés, et s'inclinent en direction de la Mecque. Assise sur le rebord de la vitrine d'un magasin, je déguste, avec un plaisir intense, la lente descente du liquide rouge le long de ma gorge asséchée. Une jeune femme s'approche et me propose d'acheter ses bracelets. Je lui explique, maladroite et gênée, que je ne suis pas intéressée. Nous nous apprêtons à remonter dans le taxi-brousse. Elle me suit jusque dans la voiture. Elle a vu que mon regard s'était attardé sur les bracelets noirs et jaunes. Leurs dessins me rappellent étrangement ceux que j'avais découverts au centre de l'Alliance française à Ziguinchor. Elle passe son bras par la portière et fait tinter son gagne-pain sous mes yeux. Elle a raison d'insister. Je prends sept bracelets.

Après avoir consulté la carte, je constate que nous ne sommes pas obligés d'aller jusqu'à Dakar. Si nous nous arrêtons à Rufisque, nous n'aurons pas à revenir sur nos pas. J'en parle à Gilles qui me prévient des difficultés que nous aurons à trouver un « sept-places » par la suite. Spontanément, je lui réponds que nous continuerons en stop. À voir son expression, il ne s'attendait certainement pas à une telle proposition.

J'insiste. Je n'ai pas envie de faire cinquante kilomètres de plus. Les cinq-cents que nous venons d'essuyer me suffisent, il me tarde de retrouver notre village.

Arrivés à Rufisque nous quittons notre « sept-places » et prenons congé de nos co-passagers. Je me mets immédiatement en position d'attaque : pouce levé, sac à dos aux pieds, l'air – légèrement – accablé par la chaleur. Très rapidement une voiture s'arrête. Un quatre-quatre climatisé. Je n'aurais jamais imaginé terminer notre excursion dans un tel luxe. D'après Gilles, le conducteur et son compagnon sont des Toucouleurs. Nous échangeons quelques mots en écoutant une cassette d'Abou Diouba. Le passager boit de la bière qu'il cache dans un sachet en plastique, le délice de l'interdit.

Discrètement, Gilles me confie qu'il y a beaucoup plus de gens qui boivent de l'alcool qu'on ne le croit.

« Pourtant notre religion nous l'interdit. Si leurs femmes savaient... »

Nous arrivons à Tivaouane à la nuit tombée.

Les retrouvailles avec Médina, Astou, Rokhaya, les enfants et les voisins ont le même goût de fête qu'à mon retour de Dakar. Ils nous demandent des nouvelles de la Casamance. Ce que j'ai vu du Sénégal, la plupart d'entre eux ne le découvriront jamais. Pas question de voyage pour eux, même dans leur propre pays. La pauvreté les contraint à la sédentarité. La gaieté de leur curiosité, le silence de leurs regrets m'envahissent d'une confusion étrange. Joie et malaise partagés.

Mon ami le tailleur, qui-ne-mange-que-du-riz-et-du-mil, se rapproche du groupe qui gravite bruyamment autour de nous. Médina lui demande d'aller chercher les vêtements qu'il a confectionnés. Avant de partir, je lui avais passé commande pour un ensemble pantalon-tunique. Niaye revient, fier et intimidé, avec les vêtements blancs soigneusement pliés. Je les essaie immédiatement et la petite assemblée applaudit chaleureusement son travail.

Ce soir, il règne une certaine tristesse. C'est aujourd'hui qu'est diffusé le dernier épisode de « Marie Mar ». Médina et Astou se remémorent les dernières aventures de l'héroïne et se posent la question qui trouvera réponse dans la soirée : va-t-elle épouser l'homme que le destin sépare d'elle, par feuilletons interposés, depuis plus d'un an ? Les bancs sont sortis, les nattes déployées, amis et voisins tous rassemblés. Je me joins au groupe.

L'attention et le suspense sont à leur comble lorsque, soudain, une panne d'émetteur met fin, sauvagement, au feuilleton. Déception et inquiétude se dessinent sur tous les visages. La panne s'éternise. Pour dédramatiser et détendre un peu l'atmosphère, je me lève, improvise le texte pathétique de « Marie Mar » et propose une fin anticipée.

Les éclats de rire envahissent la cour.

Le centre de nutrition

Il ne me reste plus qu'une semaine à passer à Tivaouane avant mon départ pour la France. L'approche des séparations resserre les liens et donne aux dernières journées une intensité particulière.

Ce matin, le jeune rapeur, rencontré au début de mon séjour, est venu chercher les traductions anglaises de ses chansons. Peu de mots ont été échangés. Pudeur et embarras n'ont pas réussi à dissiper l'émotion qui s'exprimait dans nos sourires muets.

Cet après-midi, nous allons avec Médina et Gilles visiter l'un des huit centres de nutrition de Tivaouane. Ndiaga, ancien universitaire, qui a lancé la bibliothèque d'Aupej, nous attend impatient avec ses trois jeunes collègues. Le bâtiment contraste avec les maisons alentour. Récemment construit, il a tout le confort qu'exige ce genre de lieu pour accueillir les jeunes mères et leurs enfants. Ndiaga nous accueille dans la salle où sont reçus les femmes enceintes et les jeunes accouchées. Il nous explique qu'au Sénégal, douze pour cent des enfants de moins de trois ans souffrent de malnutrition. Pour cette raison, près de quatre-cents centres ont été ouverts dans le pays. On y surveille l'enfant jusqu'à six mois ainsi que sa mère.

Le centre de Ndiaga accueille deux-cent cinquante mères et autant de nouveaux-nés.

Médina demande ce qu'il enseigne aux nouvelles mères :

« Nous leur apprenons à préparer l'aliment nécessaire pour leurs enfants. Nous leur donnons de la farine avec un mélange de mil, de sucre, de vitamines et d'arachides. Nous les informons également sur les moyens préventifs de lutter contre les diarrhées, et nous leur donnons des cours d'hygiène. »

Ndiaga répond avec plaisir à toutes nos questions. Il appartient à de cette minorité de jeunes qui reçoit un salaire et qui participe au mieux-être de son pays.

Le centre a été ouvert grâce à l'appui de la Banque mondiale en 1994. L'Etat en a confié la gestion à une organisation non-gouvernementale, Agetip, l'Agence d'exécution des travaux d'intérêts publics. Le centre reçoit des aides du Programme alimentaire mondial, d'une organisation non-gouvernementale allemande et du gouvernement sénégalais.

Ndiaga nous parle également des centres de renforcement, de leurs campagnes de vaccination, des cours d'alphabétisation et de la garderie proposée aux enfants dont les mères bénéficient du centre de nutrition.

Nous quittons ce lieu, ravis de constater avec quelle passion ces quatre jeunes mènent à bien la gestion de leur centre.

Sur le chemin du retour, je remarque la couleur subite et changeante du ciel :

« Il va pleuvoir, c'est sûr », affirme Gilles, tranquillement.

Il faut près d'une demi-heure aux nuages pour se noircir complètement et prendre une couleur encre que je ne leur connaissais pas encore. Les femmes quittent leur cahute et les vident de toute leur richesse pour les mettre à l'abri. La cour se vide, seuls les enfants traînent et attendent.

Des gouttes de la taille de flocons de neige pénètrent lourdement dans le sable. Très vite, les rigoles s'improvisent torrents. Ce sont des débordements de cris, d'eau, et de joie. Le toit en terrasse de la maison devient une baignoire géante d'où l'eau s'écoule par une gouttière qui s'arrête à mi-hauteur du mur. Une douche vient de naître. El Hadji la remarque immédiatement. Il installe son corps frêle de six ans et se laisse bousculer par le débit continuel de cette eau si rare. Sa mère l'appelle, crie, puis va le chercher. Nous voilà tous enfermés dans le patio à regarder ce spectacle inhabituel.

Le lendemain, il ne restera aucune trace de cet

orage. La terre dont la soif n'a pas été étanchée depuis plus de trente ans, refuse de se satisfaire d'une pluie occasionnelle.

Le « Vieux »

Depuis que je suis arrivée, la présence du père de Moussa, aussi discrète et lointaine soit-elle, me fascine. Cet homme, qui pense avoir près de quatre-vingts ans, quitte tous les matins sa maison mitoyenne de la nôtre, vers les neuf heures. Il va aux champs. Sa marche dégage grandeur, noblesse et une énergie inattendue à son âge. Hier, il m'a confié :

« Si je ne travaille pas, ça se répercute sur mes nerfs. Le repos n'est pas bon pour moi. Le travail des champs me fait oublier le temps. »

Il rentre à la maison vers treize heures et se repose une heure. Puis c'est l'heure des ablutions, des prières et du thé. Il repart aux champs et revient bien après la tombée de la nuit. Avant de se coucher, il écrit sa journée dans un petit carnet « pour ne pas oublier », me dit-il. Sa longue silhouette maigre à l'allure déterminée n'échappe pas aux yeux de ses petits-fils, en particulier pas à ceux d'El Hadji, qui se jette dans ses bras dès qu'il l'aperçoit.

Il y a quelques semaines, je lui ai demandé si cela ne le dérangerait pas de répondre à mes questions. Le moment est venu, celui, propice à la confidence. Assis sur un des bancs de la cour, nous partageons le tête-à-tête, que j'attends depuis longtemps.

« Je suis né, ici, dans cette maison. C'est ma grand-mère qui m'a élevé. Puis, je suis parti pensionnaire à l'école coranique. La vie était dure. On dormait dehors, par terre. Le jour, on allait aux champs ou on demandait l'aumône. J'étais un petit mendiant. Je n'osais pas revenir chez mes parents. Ce sont les premiers mois les plus difficiles. Après, on s'habitue. C'est une bonne éducation, parce qu'elle est tellement dure qu'après, on peut tout supporter. Tout semble facile. J'y suis resté de six à quatorze ans. »

Je reste un moment sans voix puis, l'encourage à continuer :

« Un jour, je me suis blessé au pied avec une branche d'acacia. J'ai eu très mal. Je ne pouvais plus marcher. Pendant six ans, de quatorze à vingt ans, j'ai rampé comme un animal, mon pied était tellement déformé. C'est terrible quand on est en pleine jeunesse. Mes camarades venaient me tenir compagnie de temps en temps. Pour m'occuper, je lisais le Coran et des livres français. Puis, je me suis découragé. Je pensais que je n'allais plus vivre. Tout le monde ici croyait que j'allais mourir. Après la guerre, en 1945, je suis allé à Dakar et là, un médecin m'a donné des antibiotiques. Il m'a guéri. J'ai pu marcher à nouveau. »

Près de la maison, Niasse, le jeune fils de Moussa pleure, plus exactement fait un caprice. Le grand-père interrompt notre conversation. D'une voix calme, il le ramène à la raison puis, poursuit :

« À vingt-cinq ans je suis parti à Dakar et j'ai appris le métier de tapissier pour couvrir les sièges de voiture. La première année, j'ai commencé du tonnerre! J'ai vite appris. Puis, je me suis marié avec la femme que mes parents avaient choisie. Elles est restée à Tivaouane avec eux. Moi je suis retourné à Dakar travailler. J'ai eu sept enfants. Moussa est l'aîné. Les deux derniers sont décédés. »

Sa voix s'affaiblit un instant, puis reprend :

« J'ai travaillé pendant quarante-deux ans sans prendre de congé. Je me suis arrêté deux jours pour la naissance de Moussa. »

El Hadji et Niasse se disputent et crient. Il les regarde et leur demande, toujours d'une voix aussi calme, de cesser leur colère.

« À la mort de la mère de Moussa, j'ai pris une seconde femme. Mes parents étant décédés, j'ai dû avoir le consentement de mon grand-père et de mon oncle. Sans cela, je n'aurais pas pu l'épouser. C'était la femme de mon défunt frère. Nous faisons ainsi pour protéger les liens de la famille.

– Si vous aviez des conseils à donner à un jeune que lui diriez-vous ?

– Il faut connaître le savoir-vivre. »

Au début, je me demande ce qu'il met derrière ces mots puis, au fil de la conversation, je commence à comprendre.

« Quand on a le savoir-vivre, on peut vivre avec tout le monde. Il faut faire marcher son intelligence pour savoir quel est le pour et le contre. Le savoir-vivre, il est entre les deux. Le savoir-vivre, c'est aussi être avec les autres.

– De quelle façon ?

– Respecter leurs conseils et leur en donner. J'ai besoin des conseils des autres pour consolider ma pensée. Les autres se sont des aide-mémoire avec qui je peux échanger. S'ils me voient aller à la dérive, ils me préviennent. Je ne dois pas rester seul dans mon esprit, sinon je ne pourrai pas résoudre mes problèmes. On ne peut pas y arriver seul. »

Il se tait un instant, éclaircit sa pensée et continue :

« Il faut être curieux aussi. Je vais à des conférences et à des causeries avec les vieux. Je continue à étudier le Coran et un autre livre de philosophie islamique. Nous étudions nos devoirs, ce qui est recommandé et interdit. Je ne suis pas très instruit, je regrette de n'avoir pas pu faire d'études. Il y a une autre chose qui est aussi très importante : ne pas cacher la vérité. Je ne supporte pas les mensonges. Je sais que cela dérange certaines personnes, parce que je ne suis pas souple. C'est vrai, je suis dur mais juste. Ce n'est pas parce que la vie est difficile qu'il faut mentir. Les gens ont peur de dire la vérité.

Souvent ils veulent qu'on leur dise ce qu'ils veulent entendre. Je ne suis pas d'accord. Mon père ne m'a pas élevé comme ça. Je le dis à mes enfants : si vous me voyez faire ou dire quelque chose qui n'est pas dans le vrai, dites-le moi.

– Donnez-vous encore des conseils à Moussa ?

– Bien sûr. Il vient me voir et nous discutons tous les deux. Il écoute souvent mes conseils. S'il ne le fait pas, je l'engueule! »

La nuit est tombée depuis longtemps. Je mets fin à notre discussion avec regret. Lorsque nous nous quittons, le grand-père me dit :

« Je n'ai que mes enfants et mes petits-enfants : c'est du sucre et du lait caillé... »

Je rentre à la maison, troublée par la résonance des mots qui viennent de m'être confiés et suis surprise de constater que mes amis n'ont pas encore dîné malgré l'heure tardive :

« Vous n'avez pas encore mangé, Médina ?

– Non, on t'attendait. Comme tu discutais avec le Vieux, on ne voulait pas vous déranger. »

Non seulement il y a du temps en Afrique, mais en plus on vous en offre.

Regard Pluriel

Depuis quelques jours je travaille avec Gilles à la mise en page du prochain numéro du journal de l'association Aupej, *Regard Pluriel.* Jeunes et adultes du quartier ont apporté leurs articles. Je les aide à corriger quelques maladresses et discutent avec eux du contenu. La priorité, pour certains, est d'écrire un article qui paraîtra dans le journal. Nous nous remémorons les objectifs éducatifs et sociaux du journal pour montrer que le choix des articles n'est pas anodin.

Ibra me rapporte son article, intitulé « L'agression au Sénégal ». Nous avons déjà repris certains passages ensemble, nous le relisons :

« Le Sénégal est un pays extrêmement sous-développé, de telle sorte que le travail n'est pas suffisant pour occuper la jeunesse et cela entraîne le chômage qui est une agression totale. Les jeunes, qui ont été exclus des écoles ou qui ont refusé d'étudier, suivent une mauvaise ligne de conduite en utilisant alcool, drogue, tabac jusqu'à tomber inconscients. La violence règne au Sénégal à cause du chômage. Certains chômeurs la choisissent pour subvenir à leurs besoins et aussi pour résoudre leurs problèmes familiaux. L'État pourrait supprimer la violence en aidant les jeunes à trouver du travail, en leur proposant des activités culturelles et sportives. Alors, je demande à tous les chômeurs de ne pas se résigner, même si ce pays se trouve dans une situation catastrophique. Il faut chercher d'autres solutions que la violence. »

Après avoir lu son texte et en avoir discuté avec lui, Ibra a apporté une modification à la fin de son article. Dans la première version, il concluait en demandant aux chômeurs d'accepter leur sort.

Nous bouclons le journal aujourd'hui, il pourra sortir avant mon départ.

Je rentre dans ma chambre. Niasse s'est endormi sur mon lit. C'est la deuxième fois que ce petit corps est venu s'égarer sur ma couche. Je m'allonge près de lui et, comme tous les débuts d'après-midi, me plonge dans la lecture. Je tourne les pages discrètement pour ne pas réveiller cette vie minuscule si profondément endormie. Les mouches semblent particulièrement attirées par sa peau fine et brillante. Je promène l'éventail devant son visage avec précaution pour les chasser. Habitué à leur effleurement bruyant, Niasse les ignore dans son sommeil enfantin. Je pose mon livre, mon regard s'attarde. Il est venu plusieurs fois chercher un peu de tendresse dans mes bras. Jamais longtemps. Ce qui le fascine, c'est ma couleur. Ses doigts minuscules aiment tirer et pincer fermement ma peau. Il veut voir si je réagis comme son frère quand il lui tord la sienne entre ses doigts potelés.

Il se réveille, lentement. Son corps quitte doucement l'engourdissement de cette sieste impromptue. Il me fixe, ne comprenant pas très bien ce que je fais là. Je le rassure par un sourire. Il hésite avant de me le retourner. Je commence à lui parler et cligne des paupières. Il me répond. Une conversation ludique s'installe. Il s'en lasse rapidement. Il cherche un visage familier. Je le prends dans mes bras et le dépose dans ceux de sa mère, assise à l'ombre dans la cour.

Moussa est revenu cet après-midi. Nous repartons ensemble demain pour Dakar.

C'est la dernière soirée avec mes amis.

Femmes et enfants participent avec enthousiasme à la fête qui se prépare pour mon départ. J'aide aux préparatifs : cuisson de beignets de crevette, remplissage des sachets plastique pour les boissons sucrées. Les femmes ont, pour l'occasion, revêtu leurs plus beaux boubous. J'ai mis l'ensemble que mon ami le tailleur a confectionné. Les animateurs d'Aupej arrivent avec une centaine d'enfants. La fête peut commencer.

Moussa, les femmes et Amadou, le secrétaire de l'association Aupej, chacun me remercie à sa façon. C'est à

Rokhaya de prendre la parole. L'émotion la rend maladroite, elle demande à Amadou de traduire en français ce qu'elle a tant de mal à exprimer. Elle termine sur ses mots :

« Francy, nous te remercions pour tout ce que tu as fait. Tu as partagé notre quotidien sans jamais te plaindre. »

C'est à mon tour de les remercier pour m'avoir tant donné, m'avoir acceptée comme un membre de leur famille.

La musique met fin à ces paroles émues. Les corps commencent à vibrer. Le plaisir de danser l'emporte très vite sur notre embarras. Je m'accorde aux rythmes de mes voisines et m'imprègne de leur joie, de leurs éclats de rire. Khady me rejoint.

Médina, Astou, Aïda demandent aux enfants de s'asseoir en rond. Les plateaux arrivent, recouverts de beignets et de sauce piquante, ils sont déposés au milieu de chaque groupe. En trente secondes, tout disparaît! Jeux, danses, disputes emplissent notre petite cour. La tombée de la nuit annonce la fin de la soirée. Les enfants me souhaitent un bon retour dans mon pays, puis s'en retournent chez eux, par groupe de trois ou quatre.

À la lueur faible d'une ampoule jaunâtre, Gilles et moi partageons nos derniers instants. Hier, il m'a raconté le parcours de sa vie. À la fin de son récit, il a constaté que plus de trente ans venait de filer entre ses doigts. Le temps a beau avoir une valeur différente en Afrique, il a fini par le rattraper au détour de notre conversation. Il a subitement réalisé l'engourdissement dans lequel il vivotait depuis plusieurs années. Il sait qu'il a les compétences en informatique pour proposer des formations, mais il manque tant de moyens, ici, que leur absence immobilise toute initiative.

« Tu sais Gilles, je pense qu'avec le niveau que tu as en informatique, tu devrais proposer des cours. Tu pourrais les donner dans ta chambre. Cela fait plusieurs fois que des jeunes viennent voir s'ils pourraient suivre une formation.

– Oui, tu as raison.

– Gilles... Tu commences quand ?

– Je verrai, dans quelques semaines. »

Le temps presse, je ne serai plus là demain pour le soutenir. Je joue sur l'affectif. Tant pis.

« Tu sais ce qui me ferait plaisir, c'est que tu commences la semaine prochaine. »

Mes mots sincères et mes encouragements arrivent à le persuader.

La tiédeur de la nuit nous encourage mollement à retrouver la moiteur de nos chambres.

« Bonne nuit, Gilles.

– Bonne nuit, Francy. »

Je quitte un frère.

Vers le départ

Mon avion décolle cette nuit à deux heures, aussi ai-je la journée entière à passer à Dakar. Moussa semble avoir deviné que la vie tapageuse de la capitale ne m'attire guère. Il a l'excellente idée de me propose de passer l'après-midi sur l'île de Ngor.

Du bus, je découvre les quartiers riches du bord de mer. Des maisons aux allures de châteaux rivalisent les unes avec les autres. Contraste immuable avec les quartiers populaires que l'on retrouve dans toute capitale.

Nous traversons en pirogue le petit bras de mer qui nous sépare de l'île. La fine et longue embarcation est décorée de rouges, verts et jaunes éclatants. Ces couleurs ajoutent à la joie des passagers qui se bousculent pour monter à bord.

Sur la plage de Ngor, des corps entassés à touche-touche, jouissent de la complicité du vent marin. Nous

nous asseyons à l'ombre, à quelques mètres de là. Tout près de nous, des jeunes creusent dans le sable un trou pour le feu en prévision du thé. Ils n'ont rien oublié : théière, petits verres, feuilles de menthe et thé vert. Deux adolescents traversent la courte plage en courant. Ils s'entraînent et exhibent leurs corps d'athlète aux regards envieux des badauds.

Près de nous, des lutteurs s'imposent un combat acharné. Ils s'observent, s'agrippent, se bousculent, se soulèvent et tentent, dans un ultime élan de force et de volonté, de renverser leur adversaire. Le vainqueur est immédiatement défié par un autre combattant. Celui-ci enchaîne sa sixième lutte.

Moussa reconnaît un jeune qui avait fait une formation dans son centre. Il se joint à nous et observe avec le même intérêt l'affrontement qui vient de commencer. Waly est du quartier d'Arafat, un des plus pauvres de Dakar. Il nous raconte comment, grâce à la lutte, il est passé de la soumission aux initiatives. Il nous explique qu'il veut donner une autre image de son quartier. Avec des jeunes de son âge, il a monté une écurie de lutte et de boxe. Tous suivent des entraînements réguliers. Leur salle de sport, c'est la cour d'une maison, les poids pour l'haltérophilie, des boîtes de conserve remplies de pierres.

Il nous parle de ses projets :

« On veut organiser des championnats populaires autogérés par les jeunes. Le sport doit devenir un élément fédérateur. Il nous permettra de nous intégrer. On refuse d'être aux ordres des recruteurs des écuries de lutte qui exploitent les jeunes talents. »

Moussa, décidément très pédagogue, m'explique comment le sport peut être envisagé comme projet social :

« L'éducation physique et sportive aide à réconcilier les jeunes entre eux. Elle leur fait prendre conscience de leurs capacités. Elle leur donne une meilleure image d'eux-mêmes. Ces jeunes, qui traînent leur corps d'athlète, ont fait reculer l'insécurité qui régnait dans leur quartier. En sublimant leur violence, ils la contrôlent mieux. Ils ont à la fois un pouvoir sur eux-mêmes et sur ce qui les entoure. Les comportements changent, les visions aussi. »

L'après-midi se passe ainsi : écouter, observer, flâner...

On frappe à la porte de ma chambre. C'est Moussa :

« Francy, c'est l'heure. Nous allons à l'aéroport. »

J'abandonne mon sommeil sans regret et cède rapidement à la joie du retour vers mon pays.

Le passage d'un taxi à une heure du matin me paraît hasardeux et je commence à douter de mon arrivée à l'aéroport. Moussa n'a aucune crainte. La vision fortuite d'un taxi jaune au coin de la rue apaise ma perplexité.

L'attente pour l'enregistrement de mes bagages me ramène à mon arrivée, à mes inquiétudes d'alors. Ne pas trouver Moussa à l'aéroport, attraper le paludisme, ne pas être capable de mener à bien mes projets, accepter difficilement les conditions de vie...

Les inquiétudes se sont évanouies.

Mon premier voyage en solitaire s'achève.

Ce que j'ai aimé ? L'apprivoisement. L'apprivoisement de l'inconnu, de l'invisible, de mes peurs. Par dessus tout, la leçon qui m'a été donnée.

La dignité.

Une lettre du Sénégal

Il y a quelques jours j'ai reçu cette lettre du Sénégal.

Chère Francy,

Ta carte nous a trouvés dans d'excellentes conditions de santé et toutes les personnes auxquelles tu l'as adressée l'ont vue.

Nous avons tous été très heureux de savoir que tu penses à nous malgré la longue distance qui nous sépare.

Au nom d'Aupej et de tous ceux qui ont été cités dans la carte, je te remercie sincèrement et te souhaite une bonne et heureuse année pour toi et ton entourage.

En ce qui concerne nos nouvelles :

– La petite Khady est rentrée au village pour faire ses débuts à l'école, tandis que sa grand-mère est toujours occupée par la vente de cacahuètes.

– Rokhaya se débrouille dans son commerce.

– Médina et Astou poursuivent respectivement leurs études à l'Acapes et au lycée.

– Amy, elle, s'est installée cette année à Dakar.

– Niaye, le tailleur du coin mange toujours du mil et de l'arachide et il n'a plus d'amis parce qu'il n'a pas voulu suivre tes conseils en adhérant à la caisse des femmes. Je ne comprends pas pourquoi. Et bien, tant pis pour lui!

– Le souriant et courageux père de Moussa est toujours plein de vitalité, même s'il a un peu ralenti la fréquentation des champs.

– Quant à moi, j'ai suivi tes conseils, juste après ton départ, en commençant la formation pour sept personnes pendant un mois, pour la somme de cent cinquante francs par personne, histoire de me procurer un peu d'argent pour régler mes problèmes urgents. Ça a été dur car je faisais sept heures de cours par jour, puisque je n'avais pas assez de place dans ma chambre, j'ai dû les prendre individuellement.

– Aupej fonctionne tant bien que mal, et j'espère qu'avec le matériel que Thyde et ses amis vont nous apporter nous allons améliorer nos conditions de travail.

Voilà en gros la situation ici.
Je t'embrasse.

Gilles

Composition et mise en page Françoise Digel – Angoulême

0251 — septembre 2007
Achevé d'imprimer par